LE VOLEUR
DE MAIGRET

OUVRAGES DE GEORGES SIMENON

AUX PRESSES DE LA CITÉ

COLLECTION MAIGRET

Mon ami Maigret
Maigret chez le coroner
Maigret et la vieille dame
L'amie de Mᵐᵉ Maigret
Maigret et les petits cochons sans queue
Un Noël de Maigret
Maigret au « Picratt's »
Maigret en meublé
Maigret, Lognon et les gangsters
Le revolver de Maigret
Maigret et l'homme du banc
Maigret a peur
Maigret se trompe
Maigret à l'école
Maigret et la jeune morte
Maigret chez le ministre
Maigret et le corps sans tête
Maigret tend un piège
Un échec de Maigret

Maigret s'amuse
Maigret à New York
La pipe de Maigret et Maigret se fâche
Maigret et l'inspecteur Malgracieux
Maigret et son mort
Les vacances de Maigret
Les Mémoires de Maigret
Maigret et la Grande Perche
La première enquête de Maigret
Maigret voyage
Les scrupules de Maigret
Maigret et les témoins récalcitrants
Maigret aux Assises
Une confidence de Maigret
Maigret et le voleur paresseux

Maigret et les braves gens
Maigret et le client du samedi
Maigret et le clochard
La colère de Maigret
Maigret et le fantôme
Maigret se défend
La patience de Maigret
Maigret et l'affaire Nahour
Le voleur de Maigret
Maigret à Vichy
Maigret hésite
L'ami d'enfance de Maigret
Maigret et le tueur
Maigret et le marchand de vin
La folle de Maigret
Maigret et l'homme tout seul
Maigret et l'indicateur
Maigret et Monsieur Charles
Les enquêtes du commissaire Maigret (2 volumes)

ROMANS

Je me souviens
Trois chambres à Manhattan
Au bout du rouleau
Lettre à mon juge
Pedigree
La neige était sale
Le fond de la bouteille
Le destin des Malou
Les fantômes du chapelier
La jument perdue
Les quatre jours du pauvre homme
Un nouveau dans la ville
L'enterrement de Monsieur Bouvet
Les volets verts
Tante Jeanne
Le temps d'Anaïs
Une vie comme neuve
Marie qui louche
La mort de Belle
La fenêtre des Rouet
Le petit homme d'Arkhangelsk

La fuite de Monsieur Monde
Le passager clandestin
Les frères Rio
Antoine et Julie
L'escalier de fer
Feux rouges
Crime impuni
L'horloger d'Everton
Le grand Bob
Les témoins
La boule noire
Les complices
En cas de malheur
Le fils
Le nègre
Strip-tease
Le président
Dimanche
La vieille
Le passage de la ligne
Le veuf
L'ours en peluche
Betty
Le train

La porte
Les autres
Les anneaux de Bicêtre
La rue aux trois poussins
La chambre bleue
L'homme au petit chien
Le petit saint
Le train de Venise
Le confessionnal
La mort d'Auguste
Le chat
Le déménagement
La main
La prison
Il y a encore des noisetiers
Novembre
Quand j'étais vieux
Le riche homme
La disparition d'Odile
La cage de verre
Les innocents

MÉMOIRES

Lettre à ma mère
Un homme comme un autre
Des traces de pas

Les petits hommes
Vent du nord vent du sud
Un banc au soleil

De la cave au grenier
A l'abri de notre arbre
Tant que je suis vivant

GEORGES SIMENON

LE VOLEUR
DE MAIGRET

roman

PRESSES DE LA CITÉ

© *Georges Simenon*, 1967.

ISBN 2-258-00175-7

CHAPITRE

1

— PARDON, MONSIEUR...

— De rien...

C'était la troisième fois au moins, depuis le coin du boulevard Richard-Lenoir, qu'elle perdait l'équilibre, le heurtait de son épaule maigre et lui écrasait son filet à provisions sur la cuisse.

Elle demandait pardon du bout des lèvres, ni confuse, ni navrée, après quoi, elle se remettait à regarder droit devant elle d'un air à la fois tranquille et décidé.

Maigret ne lui en voulait pas. On aurait même pu croire que cela l'amusait d'être bousculé. Il était d'humeur, ce matin, à tout prendre légèrement.

Il avait eu la chance de voir arriver un autobus à plate-forme, ce qui était déjà un sujet de satisfaction. Ces voitures devenaient de plus en plus rares, car on les retirait peu à peu de la circulation, et bientôt il serait obligé de vider sa pipe avant de s'enfermer dans un de ces énormes véhicules d'aujourd'hui où on se sent prisonnier.

Il y avait les mêmes autobus à plate-forme lorsqu'il était arrivé à Paris, près de quarante ans plus tôt, et, au début, il ne se lassait pas de parcourir les Grands Boulevards sur le Madeleine-Bastille. Cela avait été une de ses premières découvertes. Et les terrasses. Il ne se lassait pas des terrasses non plus, d'où l'on assiste, devant un verre de bière, au spectacle toujours changeant de la rue.

Un autre émerveillement, la première année aussi : on pouvait, dès la fin février, sortir sans pardessus. Pas toujours, mais certaines fois. Et les bourgeons commençaient à éclater le long de certaines avenues, boulevard Saint-Germain en particulier.

Ces souvenirs lui venaient par bouffées, parce que c'était encore une année où le printemps était précoce et que, ce matin, il était sorti ce chez lui sans pardessus.

Il se sentait léger, comme l'air pétillant. Les couleurs des boutiques, des victuailles, des robes de femmes étaient gaies, enjouées.

Il ne pensait pas. Rien que des petits bouts de pensées qui ne formaient pas un tout. Sa femme, à dix heures, irait prendre sa troisième leçon de conduite.

C'était drôle, inattendu. Il n'aurait pas pu dire comment ils s'étaient décidés. Quand Maigret était jeune fonctionnaire, il n'était pas question de faire les frais d'une auto. A l'époque, c'était inconcevable. Par la suite, il n'en avait jamais vu la nécessité. Il était trop tard pour apprendre à conduire. Trop de choses lui passaient par la tête. Il ne verrait pas les feux rouges, ou bien il prendrait le frein pour l'accélérateur.

Ce serait pourtant agréable, le dimanche, d'aller en auto à Meung-sur-Loire, dans leur petite maison...

Ils venaient de se décider, tout à coup. Sa femme s'était défendue en riant.

— Tu n'y penses pas... Apprendre à conduire, à mon âge...

— Je suis sûr que tu conduiras très bien...

Elle en était à sa troisième leçon, aussi émue qu'une jeune fille qui prépare son bac.

— Comment cela a-t-il marché ?

— Le professeur est très patient...

Sa voisine de l'autobus ne devait pas conduire. Pourquoi était-elle allée faire son marché du côté du boulevard Voltaire, alors qu'elle habitait un autre quartier ? Ce sont de ces petits mystères auxquels on se raccroche. Elle portait un chapeau, ce qui devient rare, surtout le matin. Il y avait un poulet dans son sac à provisions, du beurre, des œufs, des poireaux, du céleri...

Ce qui était plus dur, en dessous, ce qui lui entrait dans la cuisse à chaque cahot, cela devait être des pommes de terre...

Pourquoi prendre l'autobus pour aller acheter, loin de chez soi, des denrées aussi ordinaires, qu'on trouve dans tous les quartiers ? Peut-être avait-elle habité le boulevard Voltaire et, habituée à ses fournisseurs, leur restait-elle fidèle ?

Le petit jeune homme, à sa droite, fumait une pipe trop courte, trop grosse de fourneau, mal équilibrée, qui l'obligeait à serrer les mâchoires. Les jeunes gens choisissent presque toujours une pipe trop courte et trop grosse.

Les voyageurs de la plate-forme étaient serrés. La femme aurait dû aller s'asseoir à l'intérieur. Tiens ! Des merlans, dans une poissonnerie de la rue du Temple. Il n'avait pas mangé de merlans depuis longtemps. Pourquoi, dans son esprit, les merlans devenaient-ils printaniers, eux aussi ?

Tout était printanier, enjoué, comme son humeur, et tant pis si la femme au poulet regardait fixement devant elle, en proie à des problèmes qui échappaient au commun des mortels.

— Pardon...

— De rien...

Il n'avait pas le courage de lui dire :

— Au lieu d'enquiquiner tout le monde, allez donc vous installer à l'intérieur, vous et vos provisions...

Il lisait la même pensée dans les yeux bleus d'un gros homme coincé entre lui et le receveur. Ils se comprenaient. Le receveur aussi, qui haussait imperceptiblement les épaules. Une sorte de franc-maçonnerie, entre hommes. C'était amusant.

Les étals, surtout ceux des boutiques de légumes, débordaient des trottoirs. L'autobus vert et blanc se frayait un passage dans la foule des ménagères, des dactylos, des employés qui se dirigeaient précipitamment vers les bureaux. La vie était belle.

Encore un cahot. Toujours ce sac et ce qu'il contenait de dur au fond, pommes de terre ou n'importe quoi. En reculant, il bouscula à son tour quelqu'un derrière lui.

— Pardon...

Il murmurait ce mot-là à son tour, essayait de se retourner, apercevait un visage d'homme, assez jeune, sur lequel se lisait une émotion qu'il ne comprit pas.

Il devait avoir moins de vingt-cinq ans et il était nu-tête, ses cheveux bruns en désordre, les joues non rasées. Sa mine était celle de quelqu'un qui n'a pas dormi, qui vient de vivre des heures difficiles ou pénibles.

Se faufilant vers le marchepied, il sauta de l'autobus en marche. On était à ce moment-là au coin de la rue Rambuteau, non loin des Halles, dont on sentait la forte odeur. L'homme marchait vite, se retournait comme s'il avait peur de quelque chose, s'engouffrait dans la rue des Blancs-Manteaux.

Or, soudain, sans raison précise, Maigret porta la main à sa poche-revolver où il avait l'habitude de placer son portefeuille.

Il faillit se précipiter à son tour, sauter de l'autobus, car le portefeuille avait disparu.

Il avait rougi, mais il parvint à garder son calme. Seul le gros homme aux yeux bleus parut se rendre compte qu'il se passait quelque chose.

Le sourire de Maigret était ironique, non pas tant parce qu'il venait d'être la victime d'un pickpocket, mais parce qu'il était dans l'impossibilité de le poursuivre.

A cause du printemps, justement, à cause de cet air champagnisé qu'il avait commencé à respirer la veille.

Encore une tradition, une manie, qui datait de son enfance : les souliers. Chaque année, aux premiers beaux jours, il s'achetait des souliers, les plus légers possible. Cela lui était arrivé la veille.

Et, ce matin, il les portait pour la première fois. Ils lui faisaient mal. Rien que de parcourir le boulevard Richard-Lenoir avait été un supplice et il avait atteint avec soulagement la station des autobus, boulevard Voltaire.

Il aurait été incapable de courir après son voleur. Celui-ci, d'ailleurs, avait eu le temps de se perdre dans les rues étroites du Marais.

— Pardon, monsieur...

Encore! Toujours elle et son filet à provisions! Il faillit, cette fois, lui lancer :

— Si vous nous fichiez la paix avec vos pommes de terre?

Mais il se contenta d'un signe de tête et d'un sourire.

-:-

Dans son bureau aussi, il retrouvait cette lumière des premiers beaux jours avec, au-dessus de la Seine, une buée qui n'avait pas la densité du brouillard, des milliards de parcelles claires et vivantes particulières à Paris.

— Ça va, patron ? Rien de neuf ?

Janvier portait un complet clair que Maigret ne lui avait jamais vu. Lui aussi fêtait le printemps un peu en avance, car on n'était que le 15 mars.

— Rien. Ou plutôt si. Je viens de me faire voler.

— Votre montre ?

— Mon portefeuille.

— Dans la rue ?

— Sur la plate-forme de l'autobus.

— Il contenait une somme importante ?

— Une cinquantaine de francs. J'en ai rarement davantage en poche.

— Vos papiers ?

— Pas seulement mes papiers, mais ma médaille. Cette fameuse médaille de la P. J., cauchemar des commissaires. En principe, ils doivent l'avoir toujours sur eux, afin d'établir qu'ils sont officiers de police judiciaire.

Une belle médaille en argent, plus exactement en bronze argenté, car la couche mince d'argent ne tarde pas à laisser voir, à l'usage, un métal rougeâtre.

D'un côté, une Marianne au bonnet phrygien, les lettres R. F. et le mot Police encadré d'émail rouge.

Au revers, les armes de Paris, un numéro et gravé en petits caractères, le nom du titulaire.

La médaille de Maigret portait le numéro 0004, le numéro 1 étant réservé au préfet, le 2 au directeur de la P. J. et le 3, pour une raison obscure, au chef des Renseignements Généraux.

Les uns et les autres hésitaient à garder leur médaille en poche, malgré le règlement, car ce même règlement prévoyait une suspension de traitement pendant un mois en cas de perte.

— Vous avez vu le voleur ?

— Très bien. Un type jeune, maigre, fatigué, aux yeux et au teint de quelqu'un qui n'a pas dormi.

— Vous ne l'avez pas reconnu ?

A l'époque où il travaillait encore à la Voie publique, Maigret connaissait tous les voleurs à la tire, non seulement de Paris, mais ceux qui venaient d'Espagne ou de Londres à l'occasion des foires ou des grandes manifestations populaires.

C'est une spécialité assez fermée, qui comporte sa hiérarchie. Les as se dérangent seulement quand cela en vaut la peine, n'hésitent pas à traverser l'Atlantique pour une exposition universelle ou, par exemple, pour les Jeux Olympiques.

Maigret les avait un peu perdus de vue. Il cherchait dans sa mémoire. Il ne prenait pas l'incident au tragique. La légèreté de cette matinée continuait à influencer son humeur et, paradoxalement, c'était à la femme aux provisions qu'il en voulait.

— Si elle n'avait pas passé son temps à me bousculer... La plate-forme des autobus devrait être interdite aux femmes... Surtout qu'elle n'avait même pas l'excuse de fumer...

Il était plus vexé que fâché.

— Vous n'allez pas jeter un coup d'œil aux archives ?

— C'est bien ce que je compte faire.

Il y passa près d'une heure, à examiner les pho-

tographies de face et de profil de la plupart des
pickpockets. Il y en avait qu'il avait arrêtés vingt-
cinq ans plus tôt et qui, par la suite, étaient passés dix ou quinze fois par son bureau, devenant
presque des copains.

— Encore toi ?

— Il faut bien vivre. Et vous, vous êtes toujours
là aussi, patron. Cela fait un bout de temps qu'on
se connaît, pas vrai ?

Certains étaient bien vêtus et d'autres, les miteux, se contentaient de la foire à la ferraille,
des marchés de Saint-Ouen et des couloirs du métro.
Aucun ne ressemblait au jeune homme de l'autobus et Maigret savait d'avance que ses recherches
seraient vaines.

Un professionnel n'a pas cet air fatigué, anxieux.
Il ne travaille que quand il est sûr que ses mains
ne se mettront pas à trembler. Enfin, tous connaissaient le visage, la silhouette de Maigret, ne
fût-ce que pour l'avoir étudiée dans les journaux.

Il redescendit dans son bureau et, quand il retrouva Janvier, se contenta de hausser les épaules.

— Vous ne l'avez pas trouvé ?

— Je jurerais que c'est un amateur. Je me demande même si, une minute plus tôt, il savait ce
qu'il allait faire. Il a dû voir mon portefeuille dé-
passer. Ma femme ne cesse de me répéter que je ne
devrais pas le porter dans cette poche-là. Quand il
y a eu un choc et que ces sacrées pommes de terre
ont failli me déséquilibrer, l'idée lui est venue de...

Il changea de ton.

— Quoi de nouveau, ce matin ?

— Lucas a la grippe. Le Sénégalais s'est fait des-
cendre dans un bistrot de la porte d'Italie...

— Couteau ?

— Bien entendu. Personne n'est capable de décrire l'agresseur. Il est entré, vers une heure du matin, alors que le patron allait fermer. Il a fait quelques pas en direction du Sénégalais qui buvait un dernier verre et il a frappé si vite que...

Banal. Quelqu'un finirait par le donner, peut-être dans un mois, peut-être dans deux ans. Maigret se dirigea vers le bureau du directeur pour la conférence quotidienne et il eut soin de ne pas parler de son aventure.

La journée s'annonçait calme. Des paperasses. Des pièces administratives à signer. La routine.

Il rentra déjeuner et observa sa femme qui ne lui parlait pas de sa leçon de conduite. C'était un peu, pour elle, comme si, à son âge, elle était retournée à l'école. Elle en ressentait du plaisir, voire une certaine fierté, mais aussi de la gêne.

— Tu n'es pas montée sur le trottoir?

— Pourquoi demandes-tu ça? Tu vas me donner des complexes...

— Mais non. Tu seras une excellente conductrice et j'attends avec impatience que tu m'emmènes sur les bords de la Loire...

— Ce ne sera pas avant un bon mois.

— Le professeur te l'a dit?

— Les examinateurs deviennent de plus en plus exigeants et il vaut mieux ne pas se faire recaler la première fois. Aujourd'hui, nous sommes allés sur les boulevards extérieurs. Je n'aurais jamais cru qu'on y trouvait autant de circulation, ni que les gens roulaient si vite. On a l'impression que...

Tiens! On mangeait du poulet comme, sans doute, chez la femme de l'autobus.

— A quoi penses-tu?

— A mon voleur.

— Tu as arrêté un voleur?

— Je ne l'ai pas arrêté, mais il m'a délesté de mon portefeuille.

— Avec ta médaille?

Elle y pensait tout de suite aussi. Un sérieux trou dans le budget. Il est vrai qu'il recevrait une médaille neuve dont le cuivre n'apparaîtrait pas.

— Tu l'as vu?

— Comme je te vois.

— Un vieux?

— Un jeune. Un amateur. Il avait l'air...

Maigret y pensait le plus en plus, sans le vouloir. Le visage, au lieu de se brouiller dans son esprit, devenait plus net. Il retrouvait des détails qu'il ignorait avoir enregistrés, comme le fait que l'inconnu avait des sourcils épais formant une véritable barre au-dessus de ses yeux.

— Tu le reconnaîtrais?

Il y pensa plus de dix fois au cours de l'après-midi, levant la tête et regardant la fenêtre comme si un problème le tracassait. Il y avait, dans cette histoire, dans ce visage, dans cette fuite, quelque chose de pas naturel, il ne savait pas quoi.

Chaque fois, il lui semblait qu'un nouveau détail allait lui revenir, qu'il allait comprendre, puis il se remettait à son travail.

— Bonsoir, les enfants...

Il partit à six heures moins cinq, alors qu'il restait une demi-douzaine d'inspecteurs dans le bureau voisin.

— Bonsoir, patron...

Ils allèrent au cinéma, sa femme et lui. Il avait retrouvé, dans un tiroir, le vieux portefeuille brun, trop large pour la poche-revolver, qu'il dut mettre sans son veston.

— Si tu l'avais porté dans cette poche-là...

Ils rentrèrent bras dessus, bras dessous, comme d'habitude, et l'air restait tiède. Même l'odeur de l'essence, ce soir-là, n'était pas déplaisante. Elle faisait aussi partie du printemps qui s'annonçait,

comme l'odeur du bitume à moitié fondu fait partie de l'été.

Le matin, il retrouva son soleil et prit le petit
déjeuner devant la fenêtre ouverte.

— C'est drôle, remarqua-t-il. Il y a des femmes
qui traversent la moitié de Paris en autobus pour
aller faire leur marché...

— Peut-être à cause du Télex-consommateurs...

Il regarda sa femme en fronçant les sourcils.

— Chaque soir, la télévision indique où on peut
se procurer différentes denrées à des prix avan-
tageux...

Il n'y avait pas pensé. C'était tout simple. Il
avait perdu du temps sur un petit problème que
sa femme venait de résoudre en un instant.

— Je te remercie.

— Cela peut t'aider?

— Cela m'évite de continuer à y penser.

Il ajouta, philosophe, en saisissant son chapeau :

— On ne pense pas à ce qu'on veut...

Le courrier l'attendait sur son bureau et, au-
dessus de la pile, une grosse enveloppe brune sur
laquelle son nom, son titre et l'adresse du quai des
Orfèvres étaient tracés en caractères bâtonnets.

Il comprit avant d'ouvrir. C'était son portefeuille
qu'on lui retournait. Et, quelques instants plus
tard, il découvrait que rien ne manquait, ni la
médaille, ni les papiers, ni les cinquante francs.

Rien d'autre. Pas de message. Pas d'explication.

Il en fut vexé.

-:-

Il était un peu plus de onze heures quand la sonnerie du téléphone retentit.

— Quelqu'un insiste pour vous parler personnellement mais refuse de dire son nom, monsieur le Commissaire. Il paraît que vous vous attendez à ce coup

de téléphone et que vous seriez furieux si je ne vous
passais pas la communication. Qu'est-ce que je fais?

— Passez-la-moi donc.

Et, frottant une allumette d'une seule main pour
rallumer sa pipe éteinte :

— Allô! J'écoute...

Il y eut un silence assez long et Maigret aurait
pu croire que la communication avait été coupée
s'il n'avait entendu une respiration à l'autre bout
du fil.

— J'écoute... répéta-t-il.

Un silence encore, puis enfin :

— C'est moi...

Une voix d'homme, même assez grave, mais l'ac-
cent aurait pu être celui d'un enfant qui hésite à
avouer une désobéissance.

— Mon portefeuille?

— Oui.

— Vous ignoriez mon identité?

— Bien sûr. Autrement...

— Pourquoi me téléphonez-vous?

— Parce que j'ai besoin de vous voir...

— Passez à mon bureau.

— Non. Je ne peux pas aller quai des Orfèvres.

— On vous y connaît?

— Je n'y ai jamais mis les pieds.

— De quoi avez-vous peur?

Car on devinait de la peur dans la voix anonyme.

— C'est à titre privé.

— Qu'est-ce qui est à titre privé?

— Que je voudrais vous voir. Cette solution
m'est venue à l'esprit quand j'ai lu votre nom sur
la médaille.

— Pourquoi avez-vous volé mon portefeuille?

— Parce que j'avais besoin d'argent tout de
suite.

— Et maintenant?

— J'ai changé d'avis. Je n'en suis pas encore
sûr. Il vaudrait mieux que vous veniez le plus vite
possible, avant qu'il ne me vienne une autre idée...

Il y avait quelque chose d'irréel dans cette conversation, dans la voix, et pourtant Maigret prenait la chose sérieusement.

— Où êtes-vous?

— Vous allez venir?

— Oui.

— Seul?

— Vous tenez à ce que je sois seul?

— Il faut que notre entretien reste privé. Vous
vous y engagez?

— Cela dépend.

— De quoi?

— De ce que vous me direz.

Un silence à nouveau, comme plus lourd que
celui du début.

— Je voudrais que vous me laissiez une chance.
Remarquez que c'est moi qui vous appelle. Vous
ne me connaissez pas. Vous n'avez aucun moyen
de me retrouver. Si vous ne venez pas, vous ne
saurez jamais qui je suis. Cela mérite bien, de
votre part...

Il ne trouvait pas le mot.

— Une promesse? suggéra Maigret.

— Attendez. Quand je vous aurai parlé, tout à
l'heure, vous me laisserez cinq minutes pour disparaître si je vous le demande...

— Je ne peux pas prendre d'engagement sans
en savoir davantage. Je suis officier de police judiciaire...

— Si vous me croyez, cela ira de soi. Si vous ne
me croyez pas, ou si vous avez des doutes, vous
vous arrangerez pour regarder ailleurs, juste le
temps que je sorte, et après vous pourrez alerter vos
hommes...

— Où êtes-vous ?

— C'est d'accord ?

— Je suis disposé à vous rejoindre.

— En acceptant mes conditions ?

— Je serai seul.

— Mais vous ne promettez rien ?

— Non.

Il lui était impossible d'agir autrement et il attendait avec une certaine anxiété la réaction de son interlocuteur. Celui-ci se trouvait dans une cabine publique, ou dans un café, car on entendait un bruit de fond.

— Vous vous décidez ? prononça Maigret, impatient.

— Au point où j'en suis !... Ce que les journaux disent de vous me donnerait plutôt confiance. C'est vrai, ces histoires ?

— Quelles histoires ?

— Que vous êtes capable de comprendre des choses qu'en général la police et les juges ne comprennent pas et que, dans certains cas, vous avez même...

— J'ai quoi ?

— J'ai peut-être tort de tant parler. Je ne sais plus. Il vous est arrivé de fermer les yeux ?

Maigret préféra ne pas répondre.

— Où êtes-vous ?

— Loin de la P. J. Si je vous le dis tout de suite, vous aurez le temps de me faire arrêter par des inspecteurs de l'arrondissement. Un coup de téléphone est vite donné et vous avez ma description...

— Comment savez-vous que je vous ai vu ?

— Je me suis retourné. Nos regards se sont croisés, vous le savez bien. J'avais très peur.

— A cause du portefeuille ?

— Pas seulement. Écoutez. Faites-vous conduire au bar-tabac *Le Métro*, au coin du boulevard de

Grenelle et de l'avenue de La-Motte-Picquet. Cela vous prendra environ une demi-heure. Je vous appellerai. Je ne serai pas loin et je vous rejoindrai presque aussitôt.

Maigret ouvrit la bouche, mais son interlocuteur avait raccroché. Il était intrigué tout autant qu'agacé, car c'était bien la première fois qu'un inconnu disposait de lui avec autant de désinvolture, pour ne pas dire de cynisme.

Pourtant, il ne parvenait pas à lui en vouloir. Tout au long de cette conversation à bâtons rompus, il avait senti une angoisse, une volonté d'aboutir à une solution satisfaisante, un besoin de se trouver face à face avec le commissaire qui, aux yeux de l'inconnu, était apparu comme le seul sauveur possible.

Parce qu'il lui avait volé son portefeuille, sans savoir qui il était!

— Janvier! Tu as une voiture, en bas? Il faut que tu me conduises dans le quartier de Grenelle.

Janvier était surpris, aucune affaire en cours ne se situant dans ce quartier-là.

— Un rendez-vous personnel, avec le type qui m'a fauché mon portefeuille.

— Vous l'avez retrouvé?

— Le portefeuille, oui, dans le courrier du matin.

— Votre médaille? Cela m'étonnerait, car c'est le genre de truc que n'importe qui aimerait garder comme souvenir.

— Ma médaille y était, mes papiers, l'argent...

— Il s'agissait d'une farce?

— Non. J'ai l'impression au contraire, que c'est très sérieux. Mon voleur vient de me téléphoner pour m'annoncer qu'il m'attend.

— Je vous accompagne?

— Jusqu'au boulevard de Grenelle. Ensuite, tu disparais, car il désire me voir seul.

Ils suivirent les quais jusqu'au pont de Bir-Hakeim et Maigret, silencieux, se contentait de regarder couler la Seine. Il y avait des travaux partout, des barricades, des chantiers, comme l'année où il était arrivé à Paris. En somme, cela recommençait tous les dix ou quinze ans, chaque fois que Paris se sentait étouffer.

— Où est-ce que je vous dépose?

— Ici.

Ils étaient au coin du boulevard de Grenelle et de la rue Saint-Charles.

— Je vous attends?

— Attends-moi une demi-heure. Si je ne suis pas de retour, rentre au bureau ou va déjeuner.

Janvier était intrigué, lui aussi, et suivait d'un drôle de regard la silhouette du commissaire qui s'éloignait.

Le soleil tapait en plein sur le trottoir où alternaient les bouffées chaudes et les bouffées plus fraîches, comme si l'air tout entier n'avait pas encore eu le temps de prendre sa température printanière.

Une petite fille vendait des violettes devant un restaurant. Maigret aperçut de loin le bar d'angle surmonté des mots *Le Métro*, qui devaient s'illuminer le soir. C'était un endroit quelconque, sans personnalité, un de ces bureaux de tabac où l'on passe pour acheter des cigarettes, pour boire un verre au comptoir ou pour s'asseoir en attendant un rendez-vous.

Il fit des yeux le tour de la pièce qui ne comportait, des deux côtés du bar, qu'une vingtaine de guéridons, la plupart inoccupés.

Bien entendu, son voleur de la veille n'y était pas et le commissaire alla s'asseoir tout au fond, près de la vitre, commanda un demi à la pression.

Malgré lui, il guettait la porte, les gens qui s'en approchaient, la poussaient, venaient à la caisse derrière laquelle les cigarettes étaient empilées dans les rayons.

Il commençait à se demander s'il n'avait pas été naïf quand il reconnut la silhouette, sur le trottoir, puis le visage. L'homme ne regardait pas de son côté, fonçait vers le bar de cuivre auquel il s'accoudait et commandait :

— Un rhum...

Il était agité. Ses mains bougeaient sans cesse. Il n'osait pas se retourner et il attendait impatiemment d'être servi, comme s'il avait un besoin urgent d'alcool.

En saisissant son verre, il faisait signe au garçon de ne pas remettre la bouteille en place.

— La même chose...

Cette fois, il se tournait vers Maigret. Il savait, avant d'entrer, où celui-ci se trouvait. Il avait dû l'épier, de l'extérieur ou par la fenêtre d'une maison voisine.

Il avait l'air de s'excuser, de dire qu'il ne pouvait pas faire autrement, qu'il venait tout de suite. De ses mains toujours tremblantes, il comptait de la menue monnaie qu'il posait sur le comptoir.

Il s'avançait enfin, saisissait une chaise, s'y laissait tomber.

— Vous avez des cigarettes ?

— Non. Je ne fume que la...

— La pipe, je sais. Moi, je n'ai plus de cigarettes, ni d'argent pour en acheter.

— Garçon ! Un paquet de... Qu'est-ce que vous préférez ?

— Gauloises.

— Un paquet de gauloises et un verre de rhum.

— Plus de rhum. Cela me donne envie de vomir...

— Un demi?

— Je ne sais pas. Je n'ai rien mangé ce matin, ni...

— Un sandwich?

Il y en avait plusieurs plateaux sur le comptoir.

— Pas tout de suite. J'ai la poitrine serrée. Vous ne pouvez pas comprendre...

Il était assez bien vêtu, d'un pantalon de flanelle grise et d'une veste de sport écossaise. Comme beaucoup de jeunes, il ne portait pas de cravate, mais un chandail à col roulé.

— Je ne sais pas si vous ressemblez à l'image qu'on se fait de vous...

Il ne regardait pas Maigret en face, lui lançant de brefs coups d'œil avant de fixer à nouveau le plancher. C'était fatigant de suivre le mouvement incessant de ses doigts longs et minces.

— Vous n'avez pas été surpris en recevant le portefeuille?

— Après trente ans de police judiciaire, on s'étonne difficilement.

— Et d'y trouver l'argent?

— Vous en aviez grand besoin, n'est-ce pas?

— Oui.

— Que vous restait-il en poche?

— Une dizaine de francs...

— Où avez-vous couché la nuit dernière?

— Je ne me suis pas couché. Je n'ai pas mangé non plus. J'ai bu avec ces dix francs. Vous m'avez vu dépenser les dernières pièces. Il n'y avait pas de quoi me saouler...

— Pourtant, vous habitez Paris, remarqua Maigret.

— Comment le savez-vous?

— Et même ce quartier.

Ils n'avaient pas de voisins immédiats et ils se contentaient de parler à mi-voix. On entendait la porte d'entrée s'ouvrir et se refermer, presque toujours pour du tabac ou des allumettes.

— Cependant, vous n'êtes pas rentré chez vous...

L'homme se tut un instant, comme au téléphone. Il était pâle, épuisé. On sentait qu'il faisait un effort désespéré pour réagir et que, méfiant, il essayait de prévoir les pièges qu'on pourrait lui tendre.

— C'est bien ce que je pensais... finit-il par grommeler.

— Vous pensiez quoi ?

— Que vous devineriez, que vous tomberiez plus ou moins juste et qu'une fois dans l'engrenage...

— Continuez...

Il se fâcha soudain, éleva la voix, oubliant qu'il se trouvait dans un lieu public.

— Et qu'une fois dans l'engrenage je serais foutu, quoi !

Il regarda la porte qui venait de s'ouvrir et, un moment, le commissaire pensa qu'il allait s'échapper à nouveau. Il dut en être tenté. Il y eut un éclat fugitif dans ses prunelles brunes. Puis il tendit la main vers son verre de bière qu'il vida d'un trait, fixant son interlocuteur par-dessus le verre, comme pour le jauger.

— Cela va mieux ?

— Je ne sais pas encore.

— Revenons-en au portefeuille.

— Pourquoi ?

— Parce que c'est ce qui vous a décidé à me téléphoner.

— De toute façon, il n'y avait pas assez.

— Pas assez d'argent ? Pour quoi faire ?

— Pour filer... Pour aller n'importe où, en Belgique ou en Espagne...

Et, repris par sa méfiance :

— Vous êtes venu seul ?

— Je ne conduis pas. Un de mes inspecteurs m'a amené et m'attend au coin de la rue Saint-Charles.

L'homme leva vivement la tête.

— Vous m'avez identifié ?

— Non. Votre photo ne figure pas dans nos dossiers.

— Vous avouez que vous avez cherché ?

— Bien sûr.

— Pourquoi ?

— A cause de mon portefeuille et surtout de ma médaille.

— Pourquoi vous êtes-vous arrêté au coin de la rue Saint-Charles ?

— Parce que c'est à deux pas et que nous passions par là.

— Vous n'avez pas reçu de rapport ?

— A quel sujet ?

— Il ne s'est rien passé rue Saint-Charles ?

Maigret avait de la peine à suivre les expressions successives sur le visage du jeune homme. Rarement avait-il vu quelqu'un d'aussi anxieux, d'aussi torturé, se raccrochant obstinément à Dieu sait quel espoir.

Il avait peur, c'était évident. Peur de quoi ?

— Le commissariat ne vous a pas alerté ?

— Non.

— Vous le jurez ?

— Je ne jure qu'à la barre des assises.

Et le regard de l'autre semblait vouloir le transpercer.

— Pourquoi croyez-vous que je vous ai demandé de venir ?

— Parce que vous avez besoin de moi.

— Pour quelle raison ai-je besoin de vous?

— Parce que vous vous êtes mis dans de mauvais draps et que vous ne savez comment en sortir.

— Ce n'est pas vrai.

La voix était tranchante. L'inconnu relevait la tête, comme soulagé.

— Ce n'est pas moi qui me suis mis dans le pétrin et cela, cour d'assises ou non, je n'hésite pas à le jurer. Je suis innocent, vous entendez?

— Pas si fort...

Il jeta un coup d'œil autour de lui. Une jeune femme se passait un bâton de rouge sur les lèvres en se regardant dans un miroir, puis se tournait vers le trottoir dans l'espoir de voir apparaître celui qu'elle attendait. Deux hommes d'âge moyen, penchés sur un guéridon, échangeaient des propos à voix presque basse et, à quelques mots qu'il devina plutôt qu'il ne les entendit, Maigret comprit qu'il s'agissait des courses.

— Dites-moi plutôt qui vous êtes et de quoi vous vous prétendez innocent...

— Pas ici. Tout à l'heure.

— Où?

— Chez moi. Je peux encore prendre une bière? Je serai en mesure de vous rembourser tout à l'heure, à moins...

— A moins que quoi?

— Que son sac... Enfin... Une bière?

— Garçon! Deux demis... Et vous me direz ce que je vous dois.

Le jeune homme s'épongeait avec un mouchoir encore assez propre.

— Vingt-quatre ans? lui demanda le commissaire.

— Vingt-cinq.

— Vous êtes depuis longtemps à Paris?

— Cinq ans.

— Marié?...

Il évitait les questions trop personnelles, trop brûlantes.

— Je l'étais. Pourquoi demandez-vous ça?

— Vous ne portez pas d'alliance.

— Parce que, quand je me suis marié, je n'étais pas assez riche.

Il allumait une seconde cigarette. Il avait fumé la première à longues aspirations et, maintenant seulement, il appréciait la saveur du tabac.

— Au fond, toutes les précautions que j'ai prises ne servent à rien.

— Quelles précautions?

— En ce qui vous concerne. Vous me tenez bel et bien, quoi que je fasse. Même si j'essayais de vous fausser compagnie, maintenant que vous m'avez bien vu et que vous savez que je suis du quartier...

Il avait un sourire amer, ironique, d'une ironie qui s'adressait à lui-même.

— Je veux toujours trop bien faire. Votre inspecteur, avec l'auto, il est toujours au coin de la rue Saint-Charles?

Maigret consulta l'horloge électrique. Elle marquait midi moins trois.

— Ou bien il vient de partir, ou bien il va partir d'un instant à l'autre, car je lui ai demandé de m'attendre une demi-heure puis, si je ne suis pas de retour, d'aller déjeuner.

— Cela n'a plus d'importance, n'est-ce pas?

Maigret ne répondit pas et, quand son compagnon se leva, il le suivit. Ils se dirigèrent tous les deux vers la rue Saint-Charles, à l'angle de laquelle se dressait un immeuble assez neuf et moderne. Ils traversèrent au passage des piétons, s'engagèrent dans la rue, ne parcoururent qu'une trentaine de mètres.

L'homme s'était arrêté au milieu du trottoir. Un portail ouvert donnait accès à la cour du grand immeuble du boulevard de Grenelle et, sous une voûte, on voyait des vélomoteurs et des voitures d'enfant.

— C'est ici que vous habitez ?

— Écoutez-moi, commissaire...

Il était plus pâle, plus nerveux que jamais.

— Avez-vous déjà fait confiance à quelqu'un, même quand toutes les preuves étaient contre lui ?

— Cela m'est arrivé.

— Que pensez-vous de moi ?

— Que vous êtes assez compliqué et que trop d'éléments me manquent pour vous juger.

— Parce que vous me jugerez ?

— Ce n'est pas ce que je veux dire. Mettons, pour me faire une opinion.

— Est-ce que j'ai l'air d'une crapule ?

— Certainement pas.

— D'un homme capable de... Non... Venez... Il vaut mieux en finir tout de suite.

Il l'entraînait dans la cour, le conduisait vers l'aile gauche des bâtiments où, au rez-de-chaussée, on voyait un certain nombre de portes alignées.

— Ils appellent ça des studios... grommela l'inconnu.

Et il tirait une clef de sa poche.

— Vous allez m'obliger à entrer le premier... Je le ferai, quoi qu'il m'en coûte... Si je tourne de l'œil...

Il poussa la porte de chêne verni. Elle donnait sur une entrée minuscule. Une porte ouverte, à droite, laissait apercevoir une salle de bains avec ce qu'on appelle une demi-baignoire ou baignoire-sabot. Elle était en désordre. Des serviettes traînaient sur le carrelage.

— Ouvrez, voulez-vous ?

Le jeune homme désignait à Maigret la porte,
fermée celle-ci, qui se trouvait devant eux et le
commissaire fit ce qu'on lui demandait.

Son compagnon ne s'enfuit pas. L'odeur, pourtant, était écœurante, malgré la fenêtre ouverte.

Près d'un divan transformé en lit pour la nuit,
une femme était étendue sur le tapis marocain à
dessins multicolores et des mouches bleues tour-
noyaient en bourdonnant autour d'elle.

2

— VOUS AVEZ LE TÉLÉPHONE?

C'était une question ridicule, que Maigret posait machinalement, car il voyait l'appareil par terre au milieu de la pièce, à un mètre du corps environ.

— Je vous en supplie... murmurait son compagnon en s'appuyant au chambranle de la porte.

On le sentait à bout. Le commissaire, de son côté, n'était pas fâché de quitter cette pièce où l'odeur de mort était insupportable.

Il poussa le jeune homme dehors, referma la porte derrière lui, fut un instant à reprendre conscience du monde réel.

Des enfants rentraient de l'école, balançant leur cartable, et se dirigeaient vers les différents appartements. La plupart des fenêtres du vaste bâtiment étaient ouvertes. On entendait plusieurs radios à la fois, des voix, de la musique, des femmes qui appelaient leur mari ou leur fils. Au premier étage, un canari sautillait dans sa cage et, ailleurs, il y avait du linge à sécher.

— Vous allez vomir?

L'autre secouait la tête pour dire que non, mais n'osait pas encore ouvrir la bouche. Il se tenait la la poitrine à deux mains, livide, au bord de la crise nerveuse, à en juger par le mouvement presque convulsif de ses doigts, par le frémissement incontrôlé de ses lèvres.

— Prenez votre temps... N'essayez pas de parler... Voulez-vous que nous allions boire quelque chose au café du coin?...

Même signe négatif.

— C'est votre femme, n'est-ce pas?

Ses yeux disaient oui. Il ouvrait enfin la bouche pour avaler une gorgée d'air, n'y parvenait qu'après un bon moment, comme si ses nerfs étaient noués.

— Vous étiez là quand c'est arrivé?

— Non...

Il était quand même parvenu à murmurer cette syllabe.

— Quand l'avez-vous vue pour la dernière fois?

— Avant-hier... Mercredi...

— Le matin?... Le soir?...

— Tard le soir...

Ils marchaient machinalement dans la grande cour ensoleillée autour de laquelle, dans toutes les cases des bâtiments, des gens menaient leur vie de tous les jours. La plupart se mettaient à table ou allaient s'y mettre. On entendait des bribes de phrases :

— Tu t'es lavé les mains?...

— Attention... C'est très chaud...

Parfois, dans l'air déjà printanier, on distinguait des odeurs de cuisine, de poireaux en particulier.

— Vous savez comment elle est morte?

Le jeune homme fit signe que oui, car il était à nouveau sans souffle.

— Quand je suis rentré...

— Un instant... Vous avez quitté l'appartement mercredi tard dans la soirée... Marchez... Cela ne vous vaut rien de rester immobile... Vers quelle heure ?

— Onze heures...

— Votre femme était vivante ?... Vous l'avez laissée en robe de chambre ?...

— Elle n'était pas encore déshabillée...

— Vous travaillez la nuit ?

— Non... J'allais chercher de l'argent... Il nous en fallait absolument...

Ils marchaient tous les deux en regardant sans y penser les fenêtres ouvertes et, à certaines d'entre elles, des gens les regardaient en retour, se demandant sans doute pourquoi ils se promenaient de la sorte.

— Où alliez-vous chercher de l'argent ?

— Chez des amis... Un peu partout...

— Vous n'en avez pas trouvé ?

— Non...

— Certains de ces amis vous ont vu ?

— Au *Vieux-Pressoir*, oui... J'avais encore une trentaine de francs en poche... Je me suis rendu dans différents endroits où j'avais des chances de rencontrer des camarades...

— A pied ?

— Avec ma voiture... Je ne l'ai abandonnée, au coin de la rue François-1er et de la rue Marbeuf, que quand je suis tombé en panne d'essence...

— Qu'est-ce que vous avez fait ensuite ?

— J'ai marché...

C'était un garçon épuisé, hypersensible, une sorte d'écorché vif, que Maigret avait devant lui.

— Depuis quand n'avez-vous pas mangé ?

— Hier, j'ai mangé deux œufs durs dans un bistrot...

— Venez...

— Je n'ai pas faim... Si vous avez l'intention de m'emmener déjeuner, je vous préviens tout de suite que...

Maigret ne l'écoutait pas, se dirigeait vers le boulevard de Grenelle et pénétrait dans un petit restaurant où plusieurs tables étaient libres.

— Deux steaks et des frites... commanda-t-il.

Il n'avait pas faim non plus, mais son compagnon avait besoin de nourriture.

— Comment vous appelez-vous ?

— Ricain... François Ricain... Certains m'appellent Francis... C'est ma femme qui...

— Écoutez, Ricain... Je suis obligé de donner deux ou trois coups de téléphone...

— Pour appeler vos collègues ?

— Je dois avertir avant tout le commissaire de police du quartier, puis mettre le Parquet au courant... Vous me promettez de ne pas bouger d'ici ?...

— Pour aller où ? répliqua Ricain avec amertume. De toute façon, vous m'arrêterez et vous me mettrez en prison... Je ne le supporterai pas... Je préférerais encore...

Il n'acheva pas, mais on comprenait sa pensée.

— Une demi-bouteille de bordeaux rouge, garçon...

Maigrait passa à la caisse pour y prendre des jetons. Comme il s'il attendait, le commissaire du quartier était allé déjeuner.

— Vous voulez que je l'avertisse tout de suite ?

— A quelle heure doit-il rentrer ?

— Vers deux heures...

— Dites-lui que je l'attendrai à deux heures et quart rue Saint-Charles, devant le portail de l'immeuble qui fait l'angle avec le boulevard de Grenelle...

Au Parquet, il n'atteignit qu'un fonctionnaire subalterne.

— Un crime semble avoir été commis rue Saint-Charles... Prenez note de l'adresse... Lorsqu'un des substituts rentrera, dites-lui que je serai à deux heures et quart devant le portail...

La P. J. enfin, où Lapointe répondit.

— Veux-tu venir d'ici une heure rue Saint-Charles ?... Préviens l'Identité judiciaire... Qu'ils soient à la même adresse vers deux heures... Qu'ils emportent de quoi désinfecter une pièce où règne une telle odeur de putréfaction qu'il est impossible d'y entrer... Avertis aussi le médecin légiste... Je ne sais pas qui est de service aujourd'hui... A tout à l'heure...

Il alla se rasseoir en face de Ricain qui n'avait pas bougé et qui regardait autour de lui comme s'il ne pouvait croire à la réalité de ce spectacle quotidien.

Le restaurant était modeste. La plupart des clients travaillaient dans le quartier et mangeaient en solitaires tout en parcourant un journal. Les steaks étaient servis, les frites assez croustillantes.

— Que va-t-il se passer ? questionna le jeune homme en saisissant machinalement sa fourchette. Vous avez alerté tout le monde ? La grande foire va commencer ?

— Pas avant deux heures... D'ici là, nous avons le temps de bavarder...

— Je ne sais rien...

— On croit toujours ne rien savoir...

Il ne fallait pas le pousser. Après quelques instants, comme Maigret portait un bout de viande à sa bouche, François Ricain se mit, sans y penser, à découper son steak.

Il avait annoncé qu'il serait incapable de manger. Non seulement il mangea, mais il but, et, quelques minutes plus tard, le commissaire devait commander une seconde demi-bouteille.

— Vous ne pourrez quand même pas comprendre...

— De toutes les phrases que les hommes prononcent, c'est celle que j'ai entendue le plus souvent au cours de ma carrière... Or, neuf fois sur dix au moins, j'ai compris...

— Je sais... Vous allez me tirer les vers du nez...

— Il y a donc des vers?

— Ne plaisantez pas... Vous avez vu, comme moi...

— A la différence que, vous, vous aviez vu ce spectacle une première fois. C'est exact?

— Bien sûr.

— Quand?

— Hier, vers quatre heures du matin.

— Attendez, que je mette mes idées en ordre. Avant-hier, c'est-à-dire mercredi, vous avez quitté votre logement vers onze heures du soir et vous y avez laissé votre femme...

— Sophie insistait pour m'accompagner. Je l'ai obligée à rester, parce que je n'aime pas quémander de l'argent en sa présence. J'aurais eu l'air de me servir d'elle...

— Bon! Vous êtes parti en voiture. Quel genre de voiture?

— Une Triumph décapotable.

— Si vous aviez un besoin d'argent aussi urgent, pourquoi ne pas la vendre?

— Parce qu'on ne m'en aurait pas donné cent francs. C'est une vieille bagnole, que j'ai achetée d'occasion et qui a traîné dans je ne sais combien de mains. Elle tenait à peine sur ses quatre roues...

— Vous avez cherché des amis susceptibles de vous prêter de l'argent et vous ne les avez pas trouvés?

— Ceux que j'ai trouvés étaient à peu près aussi fauchés que moi...

— Vous êtes rentré à pied, à quatre heures du matin. Vous avez frappé?

— Non. J'ai ouvert la porte avec ma clef...

— Vous aviez bu?

— Un certain nombre de verres, oui. La nuit, la plupart des gens que je fréquente se trouvent dans des bars ou des cabarets...

— Vous étiez ivre?

— Pas à ce point-là...

— Découragé?

— Je ne savais plus à quel saint me vouer...

— Votre femme avait de l'argent?

— Pas plus que moi... Il devait rester vingt ou trente francs dans son sac...

— Continuez... Garçon! Encore des frites, s'il vous plaît...

— Je l'ai trouvée par terre... Quand je me suis approché, je me suis aperçu qu'elle avait une moitié du visage comme enlevée... Je crois que j'ai vu de la cervelle...

Il repoussa son assiette, but goulûment son quatrième verre de vin.

— Excusez-moi... J'aimerais mieux ne pas parler de ça...

— Il y avait une arme dans la pièce?

Ricain resta immobile, à fixer Maigret, comme si le moment crucial venait d'arriver.

— Un revolver? Un automatique?

— Oui.

— Un automatique?

— Le mien... Un browning 6,35 fabriqué à Herstal...

— Comment aviez-vous cette arme en votre possession?

— J'attendais la question... Et, sans doute, n'allez-vous pas me croire...

— Vous ne l'avez pas achetée chez un armurier ?

— Non... Je n'avais aucune raison d'acheter un pistolet... Une nuit, nous étions quelques amis dans un petit restaurant de La Villette... Nous avions beaucoup bu... Nous nous donnions des allures de mauvais garçons...

Il avait rougi.

— Moi surtout... Les autres vous le diront... C'est une manie... Quand j'ai bu, je me prends pour un type formidable... Des gens que nous ne connaissions pas se sont joints à nous... Vous savez comment cela se passe aux petites heures du matin... C'était l'hiver, il y a deux ans... Je portais une canadienne doublée de mouton... Sophie était avec moi. Elle avait bu, elle aussi, mais elle ne perd jamais tout à fait le nord...

« Le lendemain, vers midi, quand j'ai voulu endosser ma canadienne, j'ai trouvé un automatique dans la poche... Ma femme m'a dit que je l'avais acheté la nuit précédente, malgré ses protestations... Je prétendais, paraît-il, que je devais absolument abattre quelqu'un qui m'en voulait... Je répétais :

« — C'est lui ou moi, tu comprends, mon vieux... »

Maigret avait allumé sa pipe et regardait son compagnon sans qu'il fût possible de deviner ce qu'il pensait.

— Vous comprenez, vous ?

— Continuez... Nous en étions à jeudi, quatre heures du matin. Je suppose que personne ne vous a vu rentrer chez vous ?

— Bien entendu.

— Et personne ne vous a vu ressortir ?

— Personne...

— Qu'avez-vous fait de l'arme ?

— Comment savez-vous que je m'en suis débarrassé ?

Le commissaire haussa les épaules.

— J'ignore pourquoi je l'ai fait... Je me suis rendu compte qu'on allait m'accuser...

— Pourquoi ?

Ricain regarda son interlocuteur avec stupeur.

— C'est naturel, non ?... J'étais seul à avoir la clef... On s'était servi d'une arme qui m'appartenait et que je gardais dans un tiroir de la commode... Il nous arrivait de nous disputer, Sophie et moi... Elle aurait voulu que je prenne un emploi stable...

— Quel est votre métier ?

— Pour autant qu'on puisse appeler ça un métier... Je suis journaliste, sans être attaché à un journal en particulier... Autrement dit, je place ma copie où je peux, surtout de la critique de films... Je suis aussi assistant metteur en scène et, à l'occasion, dialoguiste...

— Vous avez jeté le browning dans la Seine ?

— Un peu plus bas que le pont de Bir-Hakeim... Puis j'ai marché...

— Vous avez continué à chercher vos amis ?

— Je n'osais plus... Quelqu'un pouvait avoir entendu le coup de feu et téléphoné à la police... Je ne sais pas... On n'est pas nécessairement logique dans des moments pareils...

« J'allais être pourchassé... Je serais accusé et tout serait contre moi, même le fait que j'avais rôdé pendant une partie de la nuit... J'avais bu... J'étais encore à la recherche du premier bar ouvert... Quand j'en ai trouvé un, du côté de Vaugirard, j'ai vidé trois verres de rhum coup sur coup...

« Si on me questionnait, je n'étais pas en état

de répondre... J'étais sûr de m'embrouiller... On
m'enfermerait dans une cellule... Or, je souffre
de claustrophobie, au point de ne pouvoir voyager en métro... L'idée de la prison, des énormes
verrous à la porte...

— C'est la claustrophobie qui vous a donné
l'idée de fuir à l'étranger ?

— Vous voyez que vous ne me croyez pas !...

— Peut-être que si.

— Il faut avoir été dans une situation comme
la mienne pour savoir ce qui vous passe par la
tête... On ne réfléchit pas d'une façon logique...
Je ne serais pas capable de vous dire par quels quartiers je suis passé... J'avais besoin de marcher, de
m'éloigner de Grenelle, où je m'imaginais qu'on
était déjà en train de me chercher... Je me souviens
d'avoir aperçu la gare Montparnasse, d'avoir bu du
vin blanc boulevard Saint-Michel... C'est peut-être
la gare Montparnasse...

« Mon idée n'était pas tant de fuir... C'était de
gagner du temps, de ne pas être interrogé dans
l'état où je me trouvais... En Belgique, ou ailleurs, j'aurais pu attendre... J'aurais lu dans les
journaux les progrès de l'enquête... J'aurais appris des détails que je ne connais pas et qui m'auraient permis de me défendre... »

Maigret ne pouvait s'empêcher de sourire devant un tel mélange d'astuce et de naïveté.

— Que faisiez-vous place de la République ?

— Rien... J'avais abouti là comme j'aurais
abouti ailleurs... Il me restait un billet de dix
francs en poche... J'ai laissé passer trois autobus...

— Parce que c'étaient des véhicules entièrement
fermés ?

— Je ne sais pas... Je vous jure, monsieur le
Commissaire, que je ne sais pas... J'avais besoin
d'argent pour prendre le train... Je suis monté sur

la plate-forme... Il y avait beaucoup de monde et on était très serré... Je vous ai vu de dos...

« A un moment donné, vous vous êtes reculé et vous avez failli perdre l'équilibre... J'ai aperçu le portefeuille qui dépassait de votre poche... Je l'ai saisi, sans réfléchir, et, en redressant la tête, j'ai vu le regard d'une femme fixé sur moi...

« Je me demande pourquoi elle n'a pas tout de suite donné l'alarme... J'ai sauté en marche... On se trouvait heureusement dans une rue très passante, avec des rues étroites et enchevêtrées tout à l'entour... J'ai couru... J'ai marché...

— Deux mille-feuilles, garçon...

Il était une heure et demie. Dans quarante-cinq minutes, la justice prendrait son visage habituel et le studio de la rue Saint-Charles serait envahi par des personnages officiels tandis que des policiers maintiendraient les curieux à distance.

— Qu'est-ce que vous allez faire de moi ?

Maigret ne répondit pas tout de suite, pour la bonne raison qu'il n'avait pas encore pris de décision.

— Vous m'arrêtez ?... Je me rends compte que vous ne pouvez pas faire autrement, et pourtant je vous jure encore une fois que...

— Mangez... Vous prendrez du café ?

— Pourquoi faites-vous ça ?

— Qu'est-ce que je fais d'extraordinaire ?

— Vous me forcez à manger, à boire... Vous ne me bousculez pas mais, au contraire, vous m'écoutez patiemment... Ce n'est pas ça que vous appelez un interrogatoire à la chansonnette ?

Maigret sourit.

— Pas tout à fait, non... J'essaie seulement de mettre un peu d'ordre dans les faits...

— Et de me faire parler...

— Je n'ai pas beaucoup insisté...

— Pour l'instant, je me sens un peu mieux...

Il avait mangé le mille-feuilles comme sans s'en apercevoir et il allumait une cigarette. Un peu de couleurs étaient revenues à son visage.

— Seulement, je suis incapable de retourner là-bas, de revoir... de sentir...

— Et moi ?

— Vous, c'est votre métier... Il ne s'agit pas de votre femme...

Il passait sans transition de la déraison au bon sens, de la panique aveugle au raisonnement le plus lucide.

— Vous êtes un drôle d'animal...

— Parce que je suis sincère ?

— Je ne tiens pas, moi non plus, à vous avoir dans les jambes pendant la descente du Parquet et j'ai encore moins envie que les journalistes vous harassent de questions...

« Quand mes inspecteurs arriveront rue Saint-Charles — au fait, ils doivent déjà nous y attendre — je vous ferai conduire quai des Orfèvres...

— Dans une cellule ?

— Dans mon bureau, où vous m'attendrez gentiment...

— Et après ? Que se passera-t-il après ?

— Cela dépendra...

— Qu'est-ce que vous espérez découvrir ?

— Je n'en sais rien... J'en sais moins que vous, car je n'ai pas regardé le corps de près et je n'ai pas vu l'arme...

Toute cette conversation avait été accompagnée de bruits de verres, de fourchettes, de murmures de voix, des allées et venues du garçon et du timbre grêle de la caisse enregistreuse.

C'était l'autre trottoir qui recevait le soleil et l'ombre des passants était courte et large. Des voitures, des taxis, des autobus défilaient, des portières claquaient.

Les deux hommes, en sortant du restaurant, avaient comme une hésitation. Dans leur coin de bistrot, ils venaient d'être pendant un long moment séparés des autres, de la vie qui coule, des bruits, des voix, des images familières.

— Vous me croyez ?

Ricain posait la question sans oser regarder Maigret.

— Le moment n'est pas venu de croire ou de ne pas croire. Tenez ! Mes hommes sont là...

Il apercevait, rue Saint-Charles, une des voitures noires de la P. J. et la camionnette de l'Identité judiciaire, reconnaissait Lapointe dans le petit groupe qui bavardait sur le trottoir. Le gros Torrence était là aussi et c'est à lui que le commissaire confia son compagnon.

— Conduis-le au Quai. Installe-le dans mon bureau, reste avec lui et ne t'étonne pas s'il s'endort. Voilà deux nuits qu'il n'a pas fermé l'œil.

-:-

Un peu après 2 heures, on vit arriver une camionnette des services sanitaires de la Ville de Paris, car Moers et ses hommes ne disposaient pas du matériel nécessaire.

Il y avait alors, dans la cour, devant les portes des studios, des groupes d'hommes qui attendaient et que les curieux, maintenus à distance par la police en uniforme, observaient avec attention.

D'un côté, le substitut Dréville et le juge d'instruction Camus bavardaient avec le commissaire de police Piget, du XVe arrondissement. Tous venaient de quitter la table, de faire un déjeuner plus ou moins plantureux et, comme les travaux de désinfection traînaient en longueur, il leur arrivait de consulter leur bracelet-montre.

Le médecin légiste était le docteur Delaplanque, relativement nouveau dans le métier, mais que Maigret aimait bien et à qui il posait quelques questions. Delaplanque n'avait pas hésité, malgré l'odeur et les mouches, à aller procéder, dans la chambre, à un premier examen.

— Je pourrai vous en dire un peu plus tout à l'heure. Vous m'avez parlé d'un pistolet 6,35 et cela surprend, car j'aurais parié que la blessure a été infligée à l'aide d'une arme de fort calibre.

— La distance ?

— A première vue, il n'y a pas d'auréole, pas d'incrustations de poudre. La mort a été instantanée ou à peu près, car la femme a perdu très peu de sang. Qui est-elle, au fait ?

— L'épouse d'un jeune journaliste...

Pour tout le monde, comme pour Moers et les spécialistes de l'Identité judiciaire, c'était du travail quotidien accompli sans aucune émotion. N'avait-on pas entendu un peu plus tôt un des employés de la ville s'écrier en pénétrant dans le studio :

— Ce qu'elle cocotte, la garce !

Des femmes avaient un bébé sur le bras, d'autres, bien placées pour tout voir sans se déranger, restaient accoudées à leur fenêtre et des réflexions s'échangeaient ainsi de logement à logement.

— Vous êtes sûre que ce n'est pas le plus gros ?

— Non, le plus gros, je ne le connais pas...

Il s'agissait de Lourtie. Or, c'était Maigret que les deux femmes cherchaient des yeux.

— Tenez !... C'est celui qui fume la pipe...

— Ils sont deux à fumer la pipe...

— Pas le tout jeune, bien sûr... L'autre... Il s'approche des gens du Palais de Justice...

Le substitut Dréville demandait au commissaire :

— Vous avez une idée de ce dont il s'agit ?

— La morte est une jeune femme de vingt-deux ans, Sophie Ricain, née Le Gal, originaire de Concarneau, où son père est horloger...

— On l'a averti ?

— Pas encore... Je m'en occuperai tout à l'heure...

— Mariée ?

— Depuis trois ans, à François Ricain, un jeune journaliste plus ou moins cinéaste qui tente sa fortune à Paris...

— Où est-il ?

— Dans mon bureau.

— Vous le suspectez ?

— Pas jusqu'à présent. Il n'est pas en état d'assister à la descente du Parquet et il ne ferait que nous encombrer.

— Où se trouvait-il à l'heure du crime ?

— Personne ne connaît l'heure du crime.

— Et vous, docteur, vous ne pouvez pas l'établir approximativement ?

— Pas à ce moment. Peut-être par l'autopsie, si on me dit à quelle heure la victime a pris son dernier repas et de quoi il se composait.

— Les voisins ?

— Vous en voyez quelques-uns qui nous observent. Je ne les ai pas encore questionnés, mais je ne crois pas qu'ils aient des choses intéressantes à nous apprendre. Vous remarquerez qu'on peut entrer dans ces studios sans passer devant la loge de la concierge, qui se trouve à l'entrée du boulevard de Grenelle.

La corvée. On attendait. On prononçait des phrases qui ne rimaient à rien et Lapointe suivait

son patron à la trace, sans mot dire, avec le regard
et l'attitude d'un chien fidèle.

Les gens de la désinfection sortaient du studio
un gros tuyau souple, peint en gris, qu'ils y avaient
introduit un quart d'heure plus tôt. Le chef de
l'équipe en blouse blanche faisait signe qu'on pouvait approcher.

— Il ne faudra pas rester trop longtemps dans
la pièce, recommanda-t-il à Maigret, car l'air est
encore chargé de formol.

Le docteur Delaplanque s'agenouilla près du
corps qu'il examina avec un peu plus d'attention
qu'il ne l'avait fait la première fois.

— Pour ce qui est de moi, on peut l'emporter.

— Et vous, Maigret?

Maigret avait vu tout ce qu'il avait à voir, un
corps recroquevillé, vêtu d'une robe de chambre en
soie à fleurs. Une mule rouge était restée accrochée
à un pied. Il était impossible, par sa position dans
la pièce, de dire ce que la femme faisait, et même
où elle se tenait exactement, quand elle avait été
atteinte par la balle.

Autant qu'on pouvait en juger, le visage était
assez quelconque, plutôt joli. Les ongles des orteils
étaient passés à la laque rouge mais n'avaient pas
été soignés pendant un certain temps car la laque
était craquelée et les ongles n'étaient pas rigoureu-
sement propres.

Près de son chef, le greffier écrivait, comme le
faisait de son côté le secrétaire du commissaire de
police.

— Faites entrer la civière...

On marchait sur les mouches mortes. L'un après
l'autre, les personnages qui manquaient de place
dans la pièce tiraient leur mouchoir et le portaient
à leurs yeux, à cause du formol.

Le corps fut emporté tandis qu'un silence respectueux régnait pendant quelques instants dans la cour. Ces messieurs du Parquet se retirèrent les premiers, puis Delaplanque, tandis que Moers et les spécialistes attendaient pour commencer leur travail.

— On fouille tout, patron ?

— Cela vaut mieux. On ne sait jamais.

Peut-être se trouvait-on devant un mystère, peut-être, au contraire, tout allait-il se révéler très clair. Il en est ainsi au début de chaque enquête, ou presque.

Maigret, les paupières picotantes, ouvrait un tiroir de commode qui contenait les objets les plus hétéroclites : une paire de vieilles jumelles, des boutons, un stylo cassé, des crayons, des photos prises au cours du tournage d'un film, des lunettes de soleil, des factures...

Il reviendrait quand cette odeur aurait eu le temps de se dissiper, mais il n'enregistrait pas moins la curieuse décoration du studio. Le plancher avait été passé au vernis noir et les murs peints en rouge vif ainsi que le plafond. Les meubles, au contraire, étaient d'un blanc crayeux, ce qui donnait à l'ensemble une certaine irréalité. On aurait dit un décor. Rien ne paraissait solide.

— Qu'est-ce que tu en penses, Lapointe ? Tu aimerais habiter dans une pièce comme celle-ci ?

— Je risquerais d'y faire des cauchemars.

Ils sortirent. Il traînait toujours des badauds dans la cour et les agents les avaient laissés s'approcher un peu plus.

— Je t'avais bien dit que c'était celui-là... Je me demande s'il reviendra... Il paraît qu'il fait tout lui-même et il y a des chances pour qu'il nous questionne les unes après les autres.

Celle-là, une blonde fade qui tenait un bébé dans

les bras, regardait Maigret avec le sourire que lui
aurait inspiré une vedette de cinéma.

— Je vais te laisser, Lourtie... Voici la clef du
studio... Quand les hommes de Moers auront fini,
referme la porte et commence à questionner les
voisins... Le crime n'a pas été commis la nuit
dernière, pour autant qu'il y ait eu crime, mais la
nuit de mercredi à jeudi...

« Essaie de savoir si les voisins ont entendu des
allées et venues... Partagez-vous les locataires,
Lourtie et toi... Puis allez questionner les commer-
çants... Il y a plein de factures dans le tiroir...
Tu y trouveras l'adresse des maisons où ils se four-
nissaient...

« J'allais oublier... Veux-tu aller t'assurer que
le téléphone fonctionne encore?... Il me semble
que, quand je l'ai vu à midi, il était décroché... »

Le téléphone fonctionnait.

— Ne revenez pas au Quai, tous les deux, sans
m'avoir passé un coup de fil... Bon courage, les
enfants...

Maigret s'éloigna vers le boulevard de Grenelle
et descendit dans le métro. Une demi-heure plus
tard, il retrouvait l'air libre et le soleil, bientôt son
bureau où François Ricain attendait sagement tandis que Torrence lisait un journal.

— Vous n'avez pas soif? demanda-t-il à Ricain
en se débarrassant de son chapeau et en allant ouvrir la fenêtre un peu plus grande. Rien de nouveau, Torrence?

— Un journaliste vient de téléphoner...

— J'ai été surpris de ne pas les voir arriver là-
bas... Il faut croire que, dans le XVe, leur service
de renseignements est mal organisé... C'est Lapointe qui va les avoir sur le dos...

Son regard se tourna vers Ricain, sur ses mains,
et il dit à l'inspecteur :

— Conduis-le à tout hasard au laboratoire...
Qu'on lui fasse le test de la paraffine... Il ne prouve
rien en l'occurrence, puisqu'il y a près de deux
jours que le crime a été commis, mais cela évitera
des questions embarrassantes...

On saurait, d'ici un quart d'heure, si Ricain avait
des incrustations de poudre sur les doigts. Leur
absence n'établirait pas de façon absolue qu'il
n'avait pas tiré, mais ce serait un bon point pour
lui.

— Allô ?... C'est toi ?... Je te demande pardon...
Bien entendu. Si cela n'avait pas été une question
de travail, je serais rentré déjeuner... Mais oui,
j'ai mangé, un beefsteak et des frites, avec un
jeune homme surexcité... Je m'étais promis, en
entrant dans le restaurant, de te téléphoner, puis
la conversation a rebondi sans cesse et je l'avoue,
cela m'est sorti de la tête... Tu ne m'en veux pas ?...
Non. je l'ignore... On verra...

Ce soir, il rentrerait ou il ne rentrerait pas dîner
chez lui, il ne pouvait encore le prévoir. Surtout
avec un garçon comme François Ricain, qui chan-
geait d'attitude en l'espace de quelques secondes.

Maigret aurait été bien en peine de formuler une
opinion sur lui. Intelligent, il l'était certainement,
et même d'une intelligence aiguë, qu'on sentait
poindre sous certaines de ses répliques. A côté de
cela, il y avait chez lui un côté assez naïf, ou
enfantin.

Comment le juger en ce moment ? Il était dans
un état physique et moral lamentable, à bout de
nerfs, déchiré entre des sentiments contradictoires.

S'il n'avait pas tué sa femme et s'il avait réellement caressé le projet de se réfugier en Belgique ou ailleurs, cela révélait chez lui un désarroi
total, que ne suffisait pas à expliquer la claustrophobie dont il avait fait état.

4

C'était lui, vraisemblablement, qui avait conçu et réalisé la décoration du studio, ce parquet noir, ces murs et ce plafond rouges, ces meubles livides qui se détachaient comme s'ils flottaient dans l'espace.

Cela donnait l'impression que le sol sur lequel on marchait n'était pas stable, que les murs allaient avancer ou reculer comme dans un studio de cinéma, que la commode, le divan, la table, les chaises étaient factices, en carton-pâte.

Lui-même n'apparaissait-il pas comme un être factice ? Maigret imaginait la tête du substitut, ou du juge Camus, s'ils avaient lu, bout à bout, les phrases que le jeune homme avait prononcées, dans le café de La-Motte-Picquet d'abord, dans le petit restaurant d'habitués ensuite.

Il serait curieux de connaître, sur lui, l'opinion du docteur Pardon.

Ricain rentrait, suivi de Torrence.

— Alors ?

— Expérience négative...

— Je n'ai jamais tiré un coup de feu de ma vie, sinon à la foire... J'aurais été en peine de trouver le cran d'arrêt...

— Asseyez-vous...

— Vous avez vu le juge ?

— Le juge d'instruction et le substitut...

— Qu'est-ce qu'ils ont décidé... On va m'arrêter ?...

— C'est au moins la dixième fois que je vous entends prononcer ce mot... Jusqu'ici, je n'aurais qu'un seul motif d'arrestation : le vol de mon portefeuille, et je n'ai pas porté plainte...

— Je vous l'ai renvoyé...

— C'est exact. Nous allons essayer de mettre en ordre certaines choses que vous m'avez dites et

d'autres que je ne connais pas encore. Tu peux
aller, Torrence. Dis à Janvier de venir...

Un peu plus tard, Janvier, s'installait au bout du
bureau et tirait un crayon de sa poche.

— Vous vous appelez François Ricain. Vous avez
vingt-cinq ans. Où êtes-vous né?

— A Paris, rue Caulaincourt.

Une rue bourgeoise, presque provinciale, derrière
le Sacré-Cœur.

— Vos parents vivent toujours?

— Mon père... Il est mécanicien à la S. N. C. F...

— Depuis combien de temps êtes-vous marié?

— Un peu plus de trois ans et demi. Il y aura
quatre ans en juin... Le 17...

— Vous aviez donc vingt et un ans et votre
femme en avait...

— Dix-huit...

— Votre père était déjà veuf?

— Ma mère est morte quand j'avais qua-
torze ans...

— Vous avez continué à vivre avec votre père?

— Pendant quelques années... A dix-sept ans,
je l'ai quitté...

— Pourquoi?

— Parce que nous ne nous entendions pas...

— Il y avait à cela une raison particulière?

— Non... Je m'ennuyais... Il voulait que j'entre, comme lui, aux chemins de fer, et je refusais...
Il trouvait que je perdais mon temps à lire et à étu-
dier...

— Vous avez votre bac?

— J'ai quitté deux ans avant...

— Pour quoi faire?... Où viviez-vous?... De
quoi?...

— Vous me bousculez, se plaignit Ricain.

— Je ne vous bouscule pas. Je vous pose des
questions élémentaires.

— Il y a eu différentes périodes... J'ai vendu des journaux dans la rue... Puis j'ai été garçon de courses dans une imprimerie de la rue Montmartre... Pendant un temps, j'ai partagé la chambre d'un ami...

— Son nom, son adresse...

— Bernard Fléchier... Il avait une chambre rue Coquillière... Je l'ai perdu de vue...

— Que faisait-il ?

— Il conduisait un triporteur...

— Ensuite ?

— J'ai travaillé six mois dans une papeterie... J'écrivais des contes que je portais aux journaux... On m'en a accepté un et j'ai touché cent francs... Le type qui m'a reçu était étonné de me voir si jeune...

— Il ne vous a pas repris de contes ?

— Non... Les suivants ont été refusés...

— Que faisiez-vous quand vous avez rencontré votre femme, je veux dire celle qui allait devenir votre femme, Sophie Le Gal, c'est bien ça ?

— J'étais troisième assistant pour un film qui a été interdit par la censure, un film de guerre réalisé par des jeunes...

— Sophie travaillait ?

— Pas régulièrement... Elle était figurante... Il lui arrivait de poser comme modèle...

— Elle vivait seule ?

— Dans une chambre d'hôtel, à Saint-Germain-des-Prés...

— Coup de foudre ?

— Non. On a couché ensemble, parce qu'après une surboum on s'est retrouvés seuls dans la rue à trois heures du matin... Elle m'a permis de l'accompagner... On est restés ensemble pendant plusieurs mois puis, un beau jour, on a eu l'idée de se marier...

— Ses parents étaient d'accord?

— Ils n'avaient pas grand-chose à dire... Elle est allée à Concarneau et en est revenue avec une lettre de son père autorisant le mariage...

— Et vous?

— J'ai vu mon père aussi.

— Qu'est-ce qu'il a dit?

— Il a haussé les épaules...

— Il n'a pas assisté au mariage?

— Non... Seulement des copains, trois ou quatre... Le soir, on a mangé aux Halles tous ensemble...

— Avant de vous rencontrer, Sophie n'avait pas de liaison?

— Je n'étais pas le premier, si c'est ce que vous voulez dire...

— Elle n'a pas vécu plus ou moins longtemps avec un homme qui aurait pu être assez amoureux pour essayer de la revoir.

Il parut chercher dans sa mémoire.

— Non... On a rencontré des anciens copains à elle, mais pas de grand amour... Vous savez, en quatre ans, on a eu le temps de fréquenter des groupes différents... Des gens ont été nos amis pendant six mois, puis ont disparu... D'autres ont pris leur place, qu'on retrouvait de loin en loin... Vous posez les questions comme si c'était tout simple... On enregistre mes réponses... Que je me trompe, que je m'embrouille, que j'omette un détail, et on en tirera je ne sais quelles conclusions... Avouez que ce n'est pas juste...

— Vous préférez que je vous interroge en présence d'un avocat?

— J'y ai droit?

— Si vous vous considérez vous-même comme suspect...

— Et vous?... Comment me considérez-vous?...

— Comme le mari d'une femme qui est morte
de mort violente... Comme un garçon qui s'est
affolé, qui m'a volé mon portefeuille pour me le
renvoyer ensuite avec ce qu'il contenait... Comme
un type très intelligent mais pas très stable.

— Si vous aviez passé les deux nuits que j'ai
passées...

— Nous allons y arriver... Donc, vous avez occupé différents emplois chacun pendant peu de
temps...

— Ce n'était que pour gagner ma vie en attendant...

— En attendant quoi ?

— De commencer ma carrière...

— Quelle carrière ?

Il fronçait les sourcils en observant Maigret,
comme pour s'assurer qu'il n'y avait pas de per-
siflage dans la voix de celui-ci.

— J'hésite encore... Peut-être ferai-je les deux...
En tout cas, je veux écrire, mais je ne sais pas
si ce sera sous la forme de scénarios ou sous la
forme de romans... La mise en scène me tente,
à condition que je sois complètement l'auteur du
film...

— Vous fréquentez les milieux de cinéma ?

— Au *Vieux-Pressoir*, oui... On y rencontre des
débutants comme moi, mais un producteur comme
M. Carus ne dédaigne pas d'y dîner avec nous...

— Qui est M. Carus ?

— Un producteur, je vous l'ai dit. Il habite
l'hôtel Raphaël et a ses bureaux au 18 *bis*, rue de
Bassano, près des Champs-Élysées...

— Il a financé des films ?

— Trois ou quatre... En coproduction avec les
Allemands et les Italiens... Il voyage beaucoup...

— Quel âge a ce monsieur ?

— Une quarantaine d'années.

— Marié ?

— Il vit avec une jeune femme, Nora, qui a été mannequin.

— Il connaissait votre femme ?

— Bien entendu... C'est un milieu où on vit à la bonne franquette...

— M. Carus a beaucoup d'argent ?

— Il en trouve pour ses films...

— Mais il n'a pas de fortune personnelle ?

— Je vous ai dit qu'il vit au *Raphaël*, où il a un appartement... Cela coûte cher... La nuit, on le rencontre dans les meilleurs clubs...

— Ce n'est pas lui que vous cherchiez la nuit de mercredi à jeudi ?

Ricain rougit.

— Oui... Lui ou un autre... De préférence lui car il a presque toujours des liasses de billets en poche...

— Vous lui devez de l'argent ?

— Oui...

— Beaucoup ?

— Dans les deux mille...

— Il ne vous les réclame pas ?

— Non...

Un changement assez léger, difficile à préciser, venait de se produire chez le jeune homme et Maigret l'observa avec plus d'attention.

Mais il devait rester prudent, car son interlocuteur était toujours prêt à rentrer dans sa coquille.

CHAPITRE

3

Q UAND MAIGRET SE LEVA, Ricain tressaillit et le regarda avec inquiétude, car il semblait toujours s'attendre à un mauvais coup du sort ou à une traîtrise. Le commissaire alla se camper un moment devant la fenêtre ouverte, comme pour prendre un bain de réalité en regardant les passants et les voitures sur le pont Saint-Michel, un remorqueur qui portait un grand trèfle blanc sur sa cheminée.

— Je reviens tout de suite...

Du bureau des inspecteurs, il demandait l'institut médico-légal.

— Ici, Maigret... Voulez-vous voir si le docteur Delaplanque a terminé l'autopsie...

Il attendit assez longtemps avant d'entendre la voix du médecin légiste au bout du fil.

— Vous tombez bien, monsieur le Commissaire. J'allais vous appeler. Avez-vous pu apprendre à quelle heure la jeune femme a pris son dernier repas et de quoi il se composait?...

— Je vous le dirai dans un instant. La blessure?

— Autant que je puisse en juger, le coup de feu a été tiré d'une distance que je situe entre un mètre et un mètre cinquante.

— De face?

— De côté. La victime était debout. Elle a dû reculer d'un pas ou deux avant de s'abattre sur le tapis. Le laboratoire, qui a relevé les taches de sang, vous le confirmera. Autre chose. Cette femme a commencé une grossesse qui a été interrompue vers le troisième ou le quatrième mois par des moyens grossiers. Elle fumait beaucoup, mais jouissait d'une assez bonne santé...

— Voulez-vous garder un instant l'appareil?

Il retourna dans son bureau.

— Avez-vous dîné avec votre femme mercredi soir?

— Vers huit heures et demie, au *Vieux-Pressoir...*

— Vous souvenez-vous de ce qu'elle a mangé?

— Attendez... Moi, je n'avais pas faim... Je me suis contenté d'une assiette anglaise... Sophie a commandé une soupe de poisson que Rose venait de lui conseiller, ensuite du bœuf gros-sel...

— Pas de dessert?

— Non... Nous avons bu une carafe de beaujolais... J'ai pris du café ; Sophie n'en a pas voulu...

Maigret alla, dans la pièce voisine, répéter le menu à Delaplanque.

— Si elle a dîné vers huit heures et demie, je puis déjà situer la mort aux alentours d'onze heures du soir, car les aliments étaient presque entièrement digérés... Je vous en dirai plus après l'analyse chimique, mais elle prendra plusieurs jours...

— Vous avez fait le test de la paraffine?

— J'y ai pensé... Il n'y a pas trace de poudre

sur les mains... Vous recevrez mon premier rapport demain matin...

Maigret alla reprendre place à son bureau et rangea par ordre de taille les cinq ou six pipes qui s'y trouvaient en permanence.

— J'ai encore des questions à vous poser, Ricain, mais j'hésite à le faire aujourd'hui. Vous êtes épuisé et ne tenez que par les nerfs...

— Je préfère en finir tout de suite...

— Comme vous voudrez. En somme, si je vous ai bien compris, vous n'avez jamais eu, jusqu'ici, d'emploi stable, ni de revenu régulier ?

— Nous sommes des dizaines de milliers dans ce cas, je suppose ?

— A qui deviez-vous encore de l'argent ?

— A tous les fournisseurs... Certains ne voulaient plus nous servir... Je dois encore cinq cents francs à Maki...

— Qui est-ce ?

— Un sculpteur, qui habite le même immeuble que moi... C'est un abstrait, mais il accepte de temps en temps, pour gagner un peu d'argent, de faire un buste... Cela lui est arrivé il y a quinze jours... Il a touché quatre ou cinq mille francs et nous a payé à dîner... Au dessert, je lui ai demandé de me prêter une petite somme...

— Encore qui ?

— Il y en a haut !...

— Vous comptiez rembourser ?

— Je suis certain de gagner un jour beaucoup d'argent... La plupart des metteurs en scène, des écrivains connus, ont débuté comme moi...

— Changeons de sujet. Vous étiez jaloux ?

— De qui ?

— Je parle de votre femme. Je suppose qu'il est arrivé que certains de vos camarades lui fassent la cour ?

Ricain se taisait, embarrassé, haussait les épaules.

— Je ne crois pas que vous puissiez comprendre... Vous êtes d'une autre génération... Nous, les jeunes, nous n'attachons pas tant d'importance à ces choses-là...

— Voulez-vous dire que vous lui permettiez d'avoir des rapports intimes avec d'autres que vous ?

— C'est difficile de répondre à une question aussi crue...

— Essayez quand même.

— Elle a posé nue pour Maki...

— Et il ne s'est rien passé ?

— Je ne le leur ai pas demandé.

— Et M. Carus ?

— Carus a autant de filles qu'il en veut, toutes celles qui ont envie de faire du cinéma ou de la télévision...

— Il en profite ?

— Je crois...

— Votre femme n'essayait-elle pas de faire du cinéma ?

— Elle a eu, il y a trois mois, un rôle de quelques lignes...

— Donc, vous n'étiez pas jaloux ?

— Pas comme vous l'entendez...

— Vous m'avez dit que Carus avait une maîtresse...

— Nora...

— Elle est jalouse ?

— Ce n'est pas la même chose... Nora est une fille intelligente, ambitieuse... Elle se moque du cinéma... Ce qui l'intéresse, c'est de devenir Mme Carus et de disposer de beaucoup d'argent...

— Elle s'entendait bien avec votre femme ?

— Comme avec les autres... Elle nous regardait

tous, hommes et femmes, avec condescendance... Où
voulez-vous en venir?

— Nulle part.

— Vous comptez interroger tous ceux que je fré-
quentais?

— C'est possible. Quelqu'un a tué votre femme.
Vous m'affirmez que ce n'est pas vous et, jusqu'à
preuve du contraire, j'ai tendance à vous croire.

« Une personne inconnue s'est introduite chez
vous mercredi soir, alors que vous veniez de sortir. Cette personne ne possédait pas de clef, ce
qui laisse supposer que votre femme l'a introduite
sans méfiance dans le studio. »

Maigret regardait lourdement le jeune homme qui
s'impatientait en face de lui, cherchant à placer un
mot.

— Attendez! Qui, parmi vos amis, connaissait
l'existence du pistolet?

— A peu près tous... Mettons tous...

— Il vous arrivait de le porter sur vous?

— Non. Mais il est arrivé, quand j'étais en fonds,
que je réunisse des camarades chez moi... J'achetais
de la charcuterie, du saumon, des plats froids et
chacun apportait une bouteille de vin ou de
whisky...

— A quelle heure se terminaient ces petites
fêtes?

— Tard dans la nuit... On buvait beaucoup...
L'un ou l'autre s'endormait et restait jusqu'au matin... J'ai parfois manié le pistolet, pour plaisanter...

— Il était chargé?

Ricain ne répondit pas tout de suite et, à ces
moments-là, il était difficile de ne pas le
soupçonner.

— Je ne sais pas...

— Écoutez. Vous me parlez de soirées où tout
le monde était plus ou moins ivre. Vous vous

saisissiez d'un automatique, pour jouer, et vous
prétendez aujourd'hui ne pas savoir s'il était
chargé. Tout à l'heure, vous m'avez affirmé que
vous ignoriez où se trouve le cran d'arrêt. Vous
auriez pu tuer, sans le vouloir, n'importe lequel de
vos amis.

— C'est possible... Quand on est ivre...

— Vous l'étiez souvent, Ricain ?

— Assez souvent... Pas ivre à ne plus savoir ce
que je faisais, mais je buvais sec, comme la plupart de mes camarades... Quand on se rencontre
surtout dans les cafés et dans les clubs...

— Où enfermiez-vous le pistolet ?

— Il n'était pas enfermé. Il se trouvait dans le
tiroir du haut de la commode avec de vieilles fi-
celles, des clous, des punaises, des factures, tout ce
qu'on ne savait où fourrer...

— De sorte que n'importe qui, parmi ceux qui
ont passé des soirées chez vous, pouvait prendre
l'arme et s'en servir.

— Oui...

— Vous avez un soupçon ?

Une hésitation, une fois de plus, un regard
fuyant.

— Non...

— Personne n'était vraiment amoureux de votre
femme ?

— Moi...

Pourquoi prononçait-il ce mot d'une façon sarcastique.

— Amoureux mais pas jaloux ?

— Je vous ai déjà expliqué...

— Et Carus ?

— Je vous ai dit aussi...

— Maki ?

— C'est une grande brute en apparence, mais il

est doux comme un mouton et les femmes lui font
peur...

— Parlez-moi des autres, des gens que vous fré-
quentiez, de ceux que vous retrouviez au *Vieux-
Pressoir* et qui finissaient la nuit chez vous quand
vous étiez en fonds.

— Gérard Dramin... Il est premier assistant...
C'est avec lui que j'ai travaillé à un script et j'ai
été troisième assistant dans le film.

— Marié?

— Pour le moment, il vit séparé de sa femme...
Ce n'est pas la première fois... Après quelques
mois, ils finissent toujours par se remettre ensemble...

— Où habite-t-il?

— Tantôt ici, tantôt là, toujours à l'hôtel... Il
se vante volontiers de ne rien posséder d'autre
qu'une valise et que ce qu'elle contient...

— Tu notes, Janvier?

— Je suis, patron...

— Qui d'autre, Ricain?

— Un photographe, Jacques Huguet, qui habite le même immeuble que moi, dans le bâtiment
central...

— Quel âge?

— Trente ans.

— Marié?

— Deux fois. Les deux fois divorcé. Il a un enfant de sa première femme, deux de la seconde.
Elle vit au même étage que lui.

— Il vit seul?

— Avec Monique, une brave fille enceinte de
sept ou huit mois...

— Cela lui fait trois femmes. Il revoit les deux
premières?

— Elles s'entendent très bien.

— Continuez.

— Continuer quoi?

— La liste de vos amis, des habitués du *Vieux-Pressoir*.

— Ils changent, je vous l'ai déjà dit... Il y a Pierre Louchard...

— Que fait-il?

— Il a passé quarante ans, il est pédéraste et tient une boutique d'antiquités rue de Sèvres...

— Quelle raison a-t-il de se mêler à votre groupe?

— Je l'ignore... C'est un client du *Vieux-Pressoir*... Il nous suit... Il ne parle pas beaucoup, paraît heureux d'être avec nous...

— Vous lui devez de l'argent?

— Pas beaucoup... Trois cent cinquante francs...

Sonnerie du téléphone. Maigret décrocha.

— Allô, patron. Lapointe voudrait vous parler. Je vous passe la communication chez vous?

— Non, je viens...

Il retourna dans le bureau des inspecteurs.

— Vous m'avez demandé de vous appeler quand nous aurions fini, patron. Lourtie et moi avons interrogé tous les voisins qui auraient pu entendre quelque chose, surtout les voisines, car la plupart des hommes sont encore au travail.

« Personne ne se souvient d'un coup de feu. Ils ont l'habitude d'entendre du bruit, la nuit, chez les Ricain. Plusieurs locataires s'étaient plaints à la concierge et envisageaient d'écrire au propriétaire.

« Une fois, vers deux heures du matin, une vieille qui souffrait des dents et qui se tenait à sa fenêtre a vu une femme complètement nue surgir du studio et courir dans la cour, poursuivie par un homme.

« Elle n'est pas la seule à prétendre que des orgies se déroulaient dans le studio des Ricain.

— Sophie recevait-elle des visiteurs en l'absence de son mari ?

— Vous savez, patron, les femmes que j'ai interrogées n'ont pas été très précises. Les mots qui revenaient le plus souvent sont : des sauvages, des gens sans éducation, sans morale. Quant à la concierge, elle attendait le terme pour leur signifier leur congé, car ils étaient six mois en retard et le propriétaire avait décidé d'en finir s'ils ne payaient pas. Qu'est-ce que je fais ?

— Reste dans le studio jusqu'à ce que je t'y rejoigne. Garde Lourtie avec toi, car j'en aurai peut-être besoin.

Il retourna dans son bureau où Janvier et Ricain restaient silencieux.

— Écoutez-moi bien, Ricain. Au point où en sont les choses, je ne veux pas demander au juge d'instruction un mandat contre vous. D'autre part, je ne suppose pas que vous aimeriez dormir cette nuit rue Saint-Charles.

— Je ne pourrais pas...

— Vous n'avez pas d'argent. Je préfère ne pas vous voir à nouveau lâché dans Paris à la recherche d'un ami à taper.

— Qu'est-ce que vous allez faire de moi ?

— L'inspecteur Janvier va vous conduire dans un hôtel modeste, non loin d'ici, dans l'île Saint-Louis... Vous pourrez vous faire monter à manger... En passant devant une droguerie ou une pharmacie, achetez-vous donc du savon, un rasoir et une brosse à dents...

Le commissaire adressa un clin d'œil à Janvier.

— Je préfère que vous ne sortiez pas. Je vous avertis d'ailleurs que si cela vous arrivait...

— Je serais suivi... J'avais compris... Je suis innocent...

— Vous l'avez dit...

— Vous ne me faites pas confiance?

— Ce n'est pas mon métier. Je me contente d'attendre. Bonne nuit.

Une fois seul, Maigret arpenta son bureau pendant quelques minutes, s'arrêtant parfois devant la fenêtre. Puis il décrocha le téléphone et appela sa femme pour lui annoncer qu'il ne rentrerait pas dîner.

Un quart d'heure plus tard, il se retrouvait dans le métro qui le conduisait à la station Bir-Hakeim. Il frappa à la porte du studio et Lapointe lui ouvrit.

Les relents de formol persistaient. Lourtie, assis dans l'unique fauteuil de la pièce, fumait un petit cigare très fort.

— Vous voulez la place, patron?

— Merci. Je suppose que vous n'avez rien découvert de nouveau?

— Des photos... En voici une où les Ricain sont ensemble sur une plage... Une autre devant leur voiture...

Sophie n'était pas vilaine. Elle avait ce visage un peu boudeur à la mode parmi les jeunes filles et elle portait les cheveux très bouffants. Dans la rue, on aurait pu la confondre avec des milliers d'autres qui adoptaient les mêmes attitudes, s'habillaient de la même manière.

— Pas de vin, pas d'alcool?

— Une bouteille avec un fond de whisky dans cette armoire...

Une vieille armoire sans style, comme le bahut et les sièges, mais que la peinture blanche et mate, contrastant avec le plancher noir et les murs rouges, rendait originale.

Maigret, le chapeau sur la tête, la pipe à la bouche, ouvrait les portes, les tiroirs. Peu de vêtements. Trois robes en tout, bon marché, voyantes. Des pantalons corsaires, des chandails à col roulé...

A côté de la salle de bains, la cuisinette était à peine plus grande qu'un placard, avec son réchaud à gaz et son réfrigérateur petit modèle. Dans celui-ci, il trouva une bouteille d'eau minérale entamée, un quart de livre de beurre, trois œufs, une côtelette engluée dans de la sauce.

Rien n'était très propre, ni les vêtements, ni la cuisinette, ni la salle de bains dans laquelle traînait du linge.

— Personne n'a téléphoné?

— Pas depuis que nous sommes ici.

Le crime devait déjà être annoncé dans les journaux du soir, ou il le serait d'un moment à l'autre.

— Lourtie va aller manger un morceau sur le pouce puis reviendra ici et s'installera aussi confortablement que possible. Compris, mon vieux Lourtie?

— Compris, patron. J'ai le droit de roupiller?

Quant à Maigret et à Lapointe, ils s'en allaient à pied à la recherche du *Vieux-Pressoir*.

— Vous l'avez arrêté?

— Non. Torrence l'a conduit aux Cigognes, dans l'île Saint-Louis.

Ce n'était pas la première fois qu'on y mettait un client qu'on désirait tenir à l'œil.

— Vous croyez qu'il l'a tuée?

— Il est assez intelligent et assez bête tout à la fois pour l'avoir fait. D'autre part...

Maigret cherchait ses mots sans les trouver. Il avait rarement été intrigué par quelqu'un autant qu'il l'était par ce François Ricain. A première vue, ce n'était qu'un jeune ambitieux comme il en arrive chaque jour à Paris et dans toutes les capitales.

Un futur raté? Il n'avait que vingt-cinq ans.

Des hommes devenus célèbres traînaient encore la
misère à son âge. Par moments, le commissaire était
tenté de lui faire confiance. Puis, tout de suite
après, il poussait un soupir de découragement.

— Si j'étais son père...

Que ferait-il avec un fils comme Francis?
Essayer de le mater, de le faire marcher entre
deux rails?

Il faudrait qu'il aille voir le père Ricain, à
Montmartre. A moins que celui-ci ne se présente
à la P. J. quand il aurait lu les journaux.

Lapointe, qui marchait silencieusement à côté
de lui, avait à peine plus de vingt-cinq ans. Maigret comparait en pensée les deux hommes.

— Je crois, que c'est là, patron, de l'autre côté
du boulevard, près du métro aérien...

On apercevait en effet une porte flanquée de
deux vis de pressoir en bois vermoulu, des fenêtres garnies de rideaux qui filtraient la lumière
rose des lampes déjà allumées à l'intérieur.

-:-

Ce n'était pas encore l'heure de l'apéritif, à
plus forte raison du dîner, et il n'y avait que deux
personnes dans la salle, une femme, côté clients,
juchée sur un tabouret du bar et buvant avec une
paille une boisson jaunâtre, le patron, de l'autre
côté, penché sur un journal.

Les lumières étaient roses, le bar supporté par
des vis de pressoir, les tables massives, couvertes
de nappes à carreaux, les murs ornés jusqu'aux
deux tiers de boiseries sombres.

Maigret, qui marchait devant Lapointe, fronça
les sourcils en apercevant l'homme au journal,
comme quelqu'un qui cherche dans sa mémoire.

Le patron, de son côté, levait la tête, mais il ne

lui fallait qu'un instant, à lui, pour reconnaître le commissaire.

— Drôle de coïncidence... remarqua-t-il en tapotant le journal encore frais. Je lisais justement que vous étiez chargé de l'enquête...

Et, se tournant vers la fille :

— Fernande, je te présente le commissaire Maigret en personne... Asseyez-vous, monsieur le Commissaire... Qu'est-ce que je peux vous offrir?...

— Je ne savais pas que vous étiez devenu aubergiste.

— Quand on commence à se faire vieux...

Et c'était vrai que Bob Mandille devait avoir à peu près l'âge de Maigret. On parlait beaucoup de lui, jadis, quand, presque chaque mois, il inventait un exploit nouveau, tantôt se promenant sur les ailes d'un avion en vol, tantôt sautant en parachute au-dessus de la place de la Concorde pour atterrir à quelques mètres de l'obélisque, tantôt encore passant d'un cheval au galop dans une voiture de course.

Le cinéma en avait fait un de ses plus fameux cascadeurs après avoir essayé vainement d'en faire un jeune premier. On ne comptait plus les accidents dont il avait été victime et son corps devait être couvert de cicatrices.

Il avait gardé sa minceur, son élégance. C'est à peine si on sentait dans ses mouvements une certaine raideur qui faisait penser à un automate. Quant à son visage, il était un peu trop lisse, avec des traits trop réguliers, sans doute d'être passé par la chirurgie esthétique.

— Scotch?

— Bière.

— Vous aussi, jeune homme?

Cela ne plaisait pas du tout à Lapointe d'être appelé ainsi.

— Vous voyez, monsieur Maigret... J'ai fait une fin... Les compagnies d'assurances me trouvent trop vieux pour prendre des risques avec moi et, du coup, on ne me veut plus dans les films... Alors, j'ai épousé Rose et je suis devenu troquet... Vous regardez mes cheveux?... Vous vous souvenez de ma photo, quand j'ai été scalpé par les pales d'un hélicoptère et que j'avais la tête comme un œuf?... Perruque, tout simplement...

Il la retirait galamment, saluait comme avec un chapeau.

— Vous connaissez Rose, non?... Elle a chanté longtemps au Trianon-Lyrique... Rose Delval, comme elle s'appelait alors... Son vrai nom est Rose Vatan, ce qui n'allait pas sur une affiche...

« Alors, qu'est-ce que vous voulez que je vous raconte?... »

Maigret jeta un coup d'œil vers la fille prénommée Fernande.

— Ne vous gênez pas pour elle... Elle est comme un meuble... Dans deux heures, elle sera saoule à ne pouvoir faire un pas et je la mettrai dans un taxi...

— Vous connaissez Ricain, bien entendu.

— Bien entendu... A votre santé... Moi, je ne bois que de l'eau, excusez... Ricain vient dîner ici une ou deux fois par semaine...

— Avec sa femme?

— Avec Sophie, évidemment... Il est rare de voir Francis sans Sophie...

— Quand les avez-vous vus pour la dernière fois?

— Attendez... Quel jour sommes-nous?... Vendredi... Ils sont passés mercredi soir...

— Avec des copains?

— Il n'y avait personne de la bande ce soir-là... Sauf Maki, si je ne me trompe... Il me semble que Maki était en train de manger dans son coin...

— Ils se sont attablés avec lui?

— Non... Francis a entrouvert la porte, m'a demandé si j'avais vu Carus et je lui ai répondu que non, que je ne l'avais pas vu depuis deux ou trois jours...

— A quelle heure sont-ils sortis?

— Ils ne sont pas entrés... Ils ont dû dîner ailleurs... Où est-il en ce moment, Francis?... J'espère que vous ne l'avez pas coffré?...

— Pourquoi demandez-vous ça?

— Je viens de lire dans le journal que sa femme a été abattue d'une balle de pistolet et qu'il a disparu...

Maigret sourit. Les policiers du XVe arrondissement, qui n'étaient pas au courant, avaient mal renseigné les reporters.

— Qui vous a parlé de mon restaurant?

— Ricain.

— Il n'est donc pas en fuite?

— Non.

— Arrêté?

— Non plus. Vous croyez qu'il aurait été capable de tuer Sophie?

— Il est incapable de tuer qui que ce soit... s'il doit tuer quelqu'un un jour, ce sera lui-même...

— Pourquoi?

— Parce qu'il y a des moments où il perd confiance et où il se met à se détester... C'est à ces moments-là qu'il boit... Après quelques petits verres, il est complètement désespéré, sûr d'être un raté et de faire le malheur de sa femme...

— Il vous paie régulièrement?

— Son ardoise est assez longue... Si j'écoutais Rose, voilà un bout de temps que je ne lui ferais plus crédit... Pour Rose, les affaires sont les affaires... Il est vrai que son boulot est plus dur que

le mien, toute la journée à ses fourneaux... Elle
y est en ce moment et elle y sera encore à dix
heures du soir...

— Ricain est revenu ce soir-là ?

— Attendez... J'étais occupé à une table, plus
tard... J'ai senti un courant d'air et je me suis
tourné vers la porte... Celle-ci était entrouverte
et j'ai cru l'apercevoir qui cherchait quelqu'un
des yeux...

— Il a trouvé ?

— Non...

— Quelle heure était-il ?

— Vers onze heures ?... Vous avez bien fait d'in-
sister... C'est ce soir-là qu'il est revenu une troisième fois beaucoup plus tard... Parfois, les dîners
finis, nous restons à bavarder avec des habitués...
Il était passé minuit, mercredi, quand il est entré...
Il est resté près de la porte et m'a fait signe de le
rejoindre...

— Il connaissait les clients avec qui vous étiez ?

— Non... C'étaient des anciens amis de Rose,
des gens de théâtre, et Rose nous avait rejoints,
en tablier... Francis a très peur de ma femme...

« Il m'a demandé si Carus était venu... Je lui ai
dit que non... Et Gérard ?... Gérard, c'est Dramin,
un type qui fera parler de lui dans le cinéma... Non
plus... Alors, il a balbutié qu'il avait besoin de
deux mille francs... J'ai fait signe que non. Quelques dîners, passe encore... Un billet de cinquante
ou de cent à l'occasion, en cachette de Rose, je
peux me le permettre... Mais deux mille francs... »

— Il ne vous a pas dit pourquoi il en avait un besoin si pressant ?

— Parce qu'on allait le mettre à la porte et vendre tout ce qu'il possédait...

— C'était la première fois ?

— Non, justement... Rose n'a pas tellement tort :

il est volontiers tapeur... Mais ce n'est pas le tapeur cynique, si vous voyez ce que je veux dire...
Il est de bonne foi, toujours persuadé que le lendemain ou la semaine suivante il signera un gros
contrat... Il a tellement honte de demander qu'on
a honte aussi de refuser...

— Il était nerveux?

— Vous l'avez vu?

— Bien entendu.

— Nerveux ou calme?

— Un paquet de nerfs...

— Eh bien, je ne l'ai jamais vu autrement... Parfois, il en est fatigant à regarder... Ses mains se
crispent, son visage grimace, pour un oui ou un
non il s'effarouche, ou bien il devient amer, ou
encore il monte sur ses grands chevaux... Pourtant, croyez-moi, commissaire, c'est un type bien,
et je ne serais pas étonné qu'il arrive à quelque
chose...

— Que pensez-vous de Sophie?

— Il paraît qu'on ne doit pas dire de mal des
morts... Des Sophie, on en rencontre à la pelle,
si vous comprenez...

Et, d'un coup d'œil, il désignait la fille assise au
comptoir, perdue dans la contemplation des bouteilles.

— Je me demande ce qu'il lui a trouvé d'atti-
rant... Elles sont quelques milliers à s'habiller
de la même façon, à adopter le même maquillage,
à avoir les pieds sales et les talons usés, à traîner
le matin dans des pantalons trop collants et à se
nourrir de salade... Pour devenir modèles, ou vedettes de cinéma... Mon œil!...

— Elle a joué un bout de rôle...

— A cause de Walter, bien sûr...

— Qui est Walter?

— Carus... Si on comptait les filles qui ont eu droit à leur bout de rôle...

— Quel genre d'homme est-ce?

— Dînez ici et vous le verrez probablement... Il occupe la même table un soir sur deux et ils sont toujours quelques-uns à profiter de son hospitalité... Un producteur... Vous connaissez la musique... Un monsieur qui trouve l'argent pour commencer un film, puis l'argent pour le continuer, et enfin, après des mois ou des années, l'argent pour le finir... Il est à moitié anglais et à moitié turc, ce qui constitue un drôle de mélange... Un bon type, carré, la voix sonore, toujours prêt à payer la tournée et vous tutoyant après cinq minutes...

— Il tutoyait Sophie?

— Il tutoie toutes les femmes et les appelle mon bébé, mon chou ou ma toute belle, selon les heures...

— Vous croyez qu'il a couché avec elle?

— Le contraire me surprendrait...

— Ricain n'était pas jaloux?

— Je me doutais que vous alliez en venir là... Et d'abord, il n'y avait pas que Carus... Je crois bien que tous les autres y ont passé... Moi-même, si j'avais voulu, et bien que j'aurais presque pu être son grand-père... Passons... On s'est disputés plusieurs fois à ce sujet-là, Rose et moi...

« Si vous interrogez Rose, elle vous dira pis que pendre de lui, que c'est un fainéant, un type qui le fait au génie, qui joue les incompris mais qui n'en est pas moins un vilain petit maquereau... Ça, c'est l'opinion de ma femme...

« Il est vrai que, comme elle se tient la plupart du temps dans sa cuisine, elle le connaît moins bien que moi...

« J'ai essayé de lui faire entendre que Francis n'était au courant de rien... »

— Vous le pensez?

L'ancien acrobate avait les yeux d'un bleu très clair qui faisaient penser à des yeux d'enfant. Malgré son âge et l'expérience qu'on lui sentait, il avait gardé un enjouement, un charme enfantins.

— Je suis peut-être naïf, mais j'ai confiance dans ce gars-là... Il y a des jours où j'ai douté, où je me suis trouvé sur le point de penser comme Rose...

« J'en reviens toujours à mon opinion : il aime vraiment cette fille-là... Il l'aime assez pour qu'elle lui fasse croire n'importe quoi...

« La preuve, c'est la façon dont il se laissait traiter par elle... Certains soirs, lorsqu'elle avait un verre de trop, elle lui disait cyniquement, devant les autres, qu'il n'était qu'un raté, qu'un minus, qu'il n'avait rien dans le ventre, rien ailleurs non plus, sauf votre respect, et qu'elle se demandait ce qu'elle faisait à perdre son temps avec une demi-portion comme lui... »

— Il encaissait?

— Il se tassait sur lui-même et on voyait les gouttes de sueur perler à son front... Il ne s'efforçait pas moins de sourire :

« — Allons, Sophie... Viens te coucher... Tu es fatiguée... »

Une porte s'ouvrait, au fond de la salle. On voyait surgir une femme petite et très grosse, qui s'essuyait les mains à un large tablier.

— Tiens!... Le commissaire...

Et, comme Maigret cherchait où il avait pu la voir, car il n'avait jamais fréquenté le Trianon-Lyrique, elle lui rappelait :

— Il y a vingt-deux ans... Dans votre bureau... Vous aviez arrêté le type qui avait fauché mes bijoux dans ma loge... J'ai un peu grossi, depuis ce temps-là... C'est grâce à ces bijoux, justement, que j'ai pu acheter ce restaurant... Pas vrai, Bob?... Qu'est-ce que vous êtes venu faire ici?

Son mari lui apprit, avec un geste machinal vers le journal :

— Sophie est morte...

— La nôtre, la petite Ricain?

— Oui...

— Un accident? Je parie que c'est lui qui conduisait et...

— Elle a été assassinée...

— Qu'est-ce qu'il raconte, monsieur Maigret?

— La vérité...

— Quand cela s'est-il passé?

— Mercredi soir...

— Ils ont dîné ici...

Le visage de Rose avait perdu non seulement sa bonne humeur, qui était comme sa marque de fabrique, mais sa cordialité.

— Que lui as-tu raconté?

— J'ai répondu à ses questions...

— Je parie que tu as dis pis que pendre d'elle... Écoutez, monsieur le Commissaire, Bob n'est pas un mauvais bougre et nous faisons un assez gentil ménage tous les deux... Mais en ce qui concerne les femmes, il ne faut pas l'écouter... A l'entendre, ce sont toutes des traînées et les hommes sont leurs victimes... Cette pauvre fille, par exemple...

« Regarde-moi, Bob... Qui est-ce qui avait raison?... Est-ce elle ou lui qui y a passé?... »

Elle se tut, les regardant avec défi, mains aux hanches.

— La même chose, Bob, murmurait la Fernande d'une voix lasse.

Et Mandille pour en être plus vite quitte, lui servait double ration.

— Vous l'aimiez bien, madame?

— Que voulez-vous que je vous dise?... Elle a été élevée en province... Et à Concarneau, par-dessus le marché, où son père est horloger... Je suis sûre que sa mère va à la messe tous les matins...

« Elle arrive à Paris et tombe sur cette bande de types qui se croient du génie parce qu'ils travaillent dans le cinéma ou dans la télévision... J'ai fait du théâtre., moi, ce qui est autrement difficile... J'ai chanté tout le répertoire, mais je ne prenais pas des airs pour la cause... Tandis que ces petits crétins...

— De qui parlez-vous au juste?

— De Ricain, pour commencer, car il se considérait comme le plus malin de tous... Quand il parvenait à faire paraître un article dans une revue lue par deux cents imbéciles, il se figurait qu'il allait faire trembler le cinéma sur ses bases...

« Il s'est chargé de la petite... Il paraît qu'ils se sont vraiment mariés... Il aurait pu la nourrir, non?... Je ne sais pas ce qu'ils auraient mangé si des copains ne les avaient pas invités et si mon imbécile d'homme ne leur avait pas fait crédit... Combien te doit-il, Bob?

— Peu importe...

— Vous voyez!... Pendant ce temps-là, je me crève dans la cuisine...

Elle grommelait pour grommeler, ce qui ne l'empêchait pas de regarder son mari avec tendresse.

— Vous croyez qu'elle était la maîtresse de Carus?

— Comme s'il avait eu besoin d'elle!... Il avait bien assez de Nora...

— C'est sa femme?

— Non... Il voudrait bien l'épouser, mais il est déjà marié à Londres et sa femme ne veut pas entendre parler de divorce... Nora...

— Comment est-elle ?

— Vous ne la connaissez pas ?... Celle-là, alors, je ne la défendrai pas... Vous voyez que ce n'est pas un parti pris... Ce que les hommes peuvent lui trouver, je me le demande...

« Elle a au moins trente ans et, si on la nettoyait de tous ses fards, on lui en donnerait probablement quarante... Elle est mince, c'est vrai, si mince qu'on lui compte les os...

« Du noir et du vert autour des yeux, pour leur donner du mystère, paraît-il, mais cela ne fait que lui donner l'air d'une sorcière... Pas de bouche, parce qu'elle supprime les lèvres avec une couche de pommade blanche... Et, sur les joues, du blanc verdâtre... Voilà Nora...

« Quant à la façon dont elle s'habille... L'autre jour, elle est arrivée dans une sorte de pyjama en lamé argent si collant qu'elle a dû venir à la cuisine pour me faire recoudre la fente du pantalon...

— Elle fait du cinéma ?

— Pour qui la prenez-vous ?... Elle laisse ça aux gamines sans importance... Son rêve, c'est de devenir la femme d'un gros producteur international, d'être un jour Madame la productrice...

— Tu exagères... soupira Mandille.

— Moins que toi tout à l'heure.

— Nora est intelligente, cultivée, beaucoup plus cultivée que Carus et, sans elle, il ne réussirait probablement pas aussi bien...

De temps en temps, Maigret se tournait vers Lapointe, qui écoutait en silence, immobile devant le bar, stupéfait sans doute par ce qu'il entendait et par l'atmosphère du *Vieux-Pressoir*.

— Vous restez à dîner, monsieur Maigret ?... Peut-être que j'aurai le temps, si les clients ne me pressent pas trop, de venir vous dire deux mots de temps en temps... J'ai de la mouclade... Je n'oublie

pas que je suis née à La Rochelle, où ma mère
était marchande de poissons, de sorte que je connais les bonnes recettes... Vous avez déjà mangé
la chaudrée fourrasienne?

Maigret récita :

— Une soupe d'anguilles, de petites soles et de
seiches...

— Vous êtes allé souvent par là?

— A La Rochelle, oui, et à Fourras...

— Je vous mets une chaudrée au feu?

— Volontiers...

Quand elle se fut éloignée, Maigret grommela :

— Votre femme n'a pas la même opinion des
gens que vous... Si je l'écoutais, je m'empresserais
d'arrêter François Ricain...

— Je crois que vous auriez tort...

— Vous voyez quelqu'un d'autre?

— Comme coupable?... Non... Où était Francis à ce moment-là ?

— Ici... Ailleurs... Il prétend avoir couru tout
Paris à la recherche de Carus ou de quelqu'un
susceptible de lui prêter de l'argent... Attendez...
Il m'a parlé d'un club...

— Le *Club Zéro*, je parie...

— C'est ça... Du côté de la rue Jacob...

— Carus y va souvent... D'autres de mes clients
aussi... C'est un des derniers clubs à la mode...
Cela change tous les deux ou trois ans... Parfois,
ça tient moins longtemps encore, quelques mois...
Ce n'est pas la première fois que Francis avait besoin d'argent, ni qu'il courait après le ou les billets de mille...

— Il n'a trouvé Carus nulle part.

— Il s'est adressé à son hôtel?

— Je suppose...

— Alors, c'est qu'il était à Enghien... Nora est
très joueuse... L'an dernier, à Cannes, il l'a laissée

seule au casino et, quand il est venu la rejoindre,
elle avait vendu ses bijoux et avait tout perdu...
Encore une bière ?... Vous ne préférez pas un vieux
porto ?...

— Je préfère une bière. Et toi, Lapointe ?

— Un porto... murmura celui-ci en rougissant.

— Vous permettez que je téléphone ?

— Au fond à gauche... Attendez... Je vous
donne des jetons...

Il en prit une pincée dans la caisse et les tendit
sans compter à Maigret.

— Allô !... Le bureau des inspecteurs ?... Qui
est à l'appareil ?... Torrence ?... Rien de nouveau ?...
On ne m'a pas demandé ?... Moers ? Je l'appellerai quand j'aurai fini avec toi...

« Tu as reçu un coup de téléphone de Janvier ?...
Il est toujours à l'hôtel des Cigognes ?... Le type
dort ?... Bon... Oui... Bon... C'est toi qui va aller
prendre la planque à sa place ?... D'accord, vieux...
Bonne nuit... Méfie-toi quand même...

« S'il s'éveille, on ne peut pas savoir quelle
idée lui passera par la tête... Un instant... Veux-
tu téléphoner à la brigade fluviale ?...

« Il faudrait que, demain matin, ils envoient
des hommes-grenouilles au pont de Bir-Hakeim...
Un peu en amont, à une quarantaine de mètres
au plus, ils devraient trouver un pistolet qui a été
lancé de la rive... Oui... Dis que c'est de ma
part... »

Il raccrocha et forma le numéro du laboratoire.

— Moers ?... Il paraît que vous m'avez cherché ?...
Vous avez retrouvé la balle dans le mur ?... Comment ?... Probablement du 6,35 ?... Envoyez-la donc
à Gastinne-Renette... Il est possible que, demain,
nous ayons une arme à lui montrer... Et les empreintes ?... Je m'en doute... Un peu partout.... De

tous les deux... Et de plusieurs personnes différentes... Des hommes et des femmes?... Cela ne me
surprend pas, car on ne devait pas souvent faire
le ménage... Merci, Moers... A demain...»

François Ricain dormait, épuisé, dans une petite chambre de l'île Saint-Louis, tandis que Maigret allait manger une savoureuse chaudrée dans
le restaurant où le jeune couple retrouvait souvent
sa bande.

En sortant de la cabine, il ne put s'empêcher
de sourire car la fille Fernande, soudain réveillée,
parlait avec animation à Lapointe qui ne savait
quelle contenance prendre.

4

CE FUT UNE DRÔLE DE soirée, pleine de regards en coin, de chuchotements, d'allées et venues dans l'espace restreint, dans la lumière rose et dans les bonnes odeurs de cuisine du *Vieux-Pressoir*.

Près de la porte d'entrée, Maigret s'était installé en compagnie de Lapointe, dans une sorte de renfoncement où se trouvait une petite table pour deux personnes.

— C'est la table que Ricain et Sophie occupaient quand ils n'étaient pas avec les autres, avait dit Mandille.

Lapointe avait le dos à la salle et parfois, quand le commissaire lui signalait quelque chose d'intéressant, il tournait la tête aussi discrètement que possible.

La chaudrée était bonne. accompagnée d'un petit vin blanc des Charentes qu'on trouve rarement dans le commerce, ce vin sec et dur qui sert à faire le cognac.

L'ancien cascadeur se comportait en maître de
maison, recevant comme des invités ses clients
qu'il allait cueillir à l'entrée. Il plaisantait avec
eux, baisait la main des dames, les conduisait à
leur table et, avant que le garçon s'en occupe, leur
tendait la carte.

Presque chaque fois, il s'en venait ensuite vers
Maigret.

— Un architecte et sa femme... Ils viennent tous
les vendredis, parfois avec leur fils, qui étudie le
droit...

Après l'architecte, deux médecins et leurs femmes
à une table de quatre, des habitués aussi. Un des
médecins devait être bientôt appelé au téléphone
et, quelques minutes plus tard, il prenait sa trousse
au vestiaire et s'excusait auprès de ses compagnons.

Maki, le sculpteur, mangeait seul dans son coin,
avec un bel appétit, se servant plus souvent de ses
doigts qu'il n'est de bon ton de le faire.

Il était huit heures et demie quand un garçon
brun, au visage maladif, entra et lui tendit la main.
Il ne s'assit pas à la même table, mais alla s'installer sur la banquette, posant devant lui un manuscrit ronéotypé.

— Dramin... annonça Bob. Il a l'habitude de
travailler en mangeant. C'est son dernier scénario,
qu'on lui a déjà fait recommencer trois ou quatre
fois...

La plupart des clients se connaissaient, tout au
moins de vue, et s'adressaient de loin un signe dis-
cret.

Aux descriptions qu'on lui avait faites, Maigret
reconnut tout de suite Carus et surtout Nora qui
pouvait difficilement passer inaperçue.

Ce soir, elle ne portait pas un pantalon en lamé
mais une robe si collante, dans un tissu presque

aussi transparent que de la Cellophane, qu'elle paraissait nue.

Du visage, blanchi comme celui d'un Pierrot, on ne voyait pour ainsi dire que les yeux charbonneux soulignés non seulement de noir et de vert mais de paillettes qui scientillaient à la lumière.

Il y avait quelque chose de fantomatique dans sa silhouette, dans son regard, dans ses attitudes, et le contraste n'en était que plus violent avec la vitalité d'un Carus bien en chair, solidement charpenté, le visage sain et souriant.

Tandis qu'elle suivait Bob vers leur table, il serrait des mains, celle de Maki, puis de Dramin, ensuite celle du médecin restant et des deux femmes.

Quand il fut assis à son tour, Bob se pencha pour lui dire quelques mots et le regard du producteur chercha Maigret, se posa sur lui avec curiosité. On put croire qu'il allait se lever pour venir serrer la main du commissaire aussi, mais il commença par examiner la carte qu'on lui avait glissée dans la main et il discuta le menu avec Nora.

Lorsque Mandille revint dans le coin de Maigret, celui-ci s'étonna.

— Je croyais que la bande se réunissait autour d'une même table?

— Cela arrive... Certains soirs, chacun reste dans son coin... Parfois ils se réunissent pour le café... D'autres fois, ils s'installent tous ensemble... Les clients se sentent ici chez eux... Nous n'avons presque pas de passage et nous n'y tenons pas...

— Ils savent tous?

— Ils ont lu le journal, ou entendu la nouvelle à la radio, bien entendu...

— Qu'est-ce qu'ils disent?

— Rien... Ça leur a flanqué un coup... Votre présence ici doit les mettre mal à l'aise... Qu'est-ce

que vous prendrez après la chaudrée?... Ma
femme vous recommande le gigot, qui est authenti-
quement de pré-salé...

— Gigot, Lapointe?... Alors, gigot pour les
deux...

— Un petit bordeaux rouge en carafe?

A travers les rideaux, on voyait les lumières du
boulevard, les passants qui marchaient plus ou
moins vite, parfois un couple enlacé qui s'arrêtait
tous les quelques pas pour une étreinte ou pour
échanger des regards amoureux.

Dramin, comme Bob l'avait annoncé, mangeait
en parcourant le manuscrit, tirant parfois un
crayon de sa poche pour une correction. Il était le
seul, parmi les camarades de Ricain, à ne pas avoir
l'air de se préoccuper des policiers.

Il portait un complet sombre, de confection, une
cravate quelconque. On aurait pu le prendre pour
un comptable ou pour un caissier de banque.

— Carus se demande s'il va venir me parler ou
non, annonça Maigret qui observait le couple. Je ne
sais pas ce que Nora lui conseille du bout des lèvres,
mais il n'est pas d'accord avec elle.

Il imaginait les autres soirs, François Ricain et
Sophie qui entraient, cherchaient leurs amis des
yeux, se demandaient si on allait les inviter à une
table ou s'ils mangeraient seuls dans leur coin. Ne
faisaient-ils pas figure de parents pauvres?

— Vous comptez aller les interroger, patron?

— Pas tout de suite. Après le gigot.

Il faisait très chaud. Le médecin qui avait été
appelé au chevet d'un malade revenait déjà et, à sa
mimique, on devinait qu'il se plaignait d'avoir été
dérangé pour rien.

Où était passée Fernande, la grande fille saoule
cramponnée au bar? Bob devait s'en être débarrassé. Il était maintenant en conversation avec trois

ou quatre clients qui l'avaient remplacée. Tous
se tutoyaient et paraissaient très gais.

— La femme-fantôme fait des recommandations
à son mari...

En effet, elle lui parlait du bout des lèvres, sans
quitter Maigret des yeux, donnant des conseils à
Carus. Quels conseils?

— Il hésite encore. Il brûle de venir nous trouver, mais elle l'en empêche. Je crois que je vais y
aller...

Maigret, en effet, se leva lourdement, après
s'être essuyé les lèvres de sa serviette, se glissa entre les tables. Le couple le regardait venir, Nora
impassible, Carus avec une visible satisfaction.

— Je ne vous dérange pas?

Le producteur se levait, s'essuyait les lèvres à
son tour, tendait la main.

— Walter Carus... Ma femme...

— Commissaire Maigret.

— Je sais... Donnez-vous la peine de vous asseoir... Puis-je vous offrir une coupe de champagne?... Ma femme ne boit que du champagne et je
ne lui donne pas tort... Joseph!... Une coupe pour
le commissaire...

— Continuez à manger, je vous en prie...

— Inutile de vous dire que je connais la raison
de votre présence ici... J'ai appris la nouvelle tout
à l'heure, par la radio, alors que je passais à
l'hôtel pour prendre une douche et me changer...

— Vous connaissiez bien les Ricain?

— Assez bien... Ici, nous nous connaissons
tous... Il a plus ou moins travaillé pour moi, en ce
sens que j'avais un peu d'argent dans le film auquel
il a collaboré...

— Sa femme n'a-t-elle pas joué un bout de rôle
dans un autre de vos films?

— Je l'avais oublié... C'était plutôt de la figuration...

— Elle se destinait au cinéma ?

— Pas sérieusement... Je ne le pense pas... La plupart des filles d'un certain âge ont envie de se voir sur l'écran...

— Elle avait du talent ?

Maigret eut l'impression que Nora donnait un petit coup de pied à Carus en guise d'avertissement.

— Je vous avouerai que je l'ignore... Je ne pense même pas qu'on lui ait fait faire un bout d'essai...

— Et Ricain ?

— Vous me demandez s'il a du talent ?

— Quel homme est-ce, professionnellement ?

— Que répondrais-tu, Nora ?

Et celle-ci de laisser tomber, glacée :

— Rien...

Cela fit l'effet d'une incongruité et Carus s'empressa d'expliquer :

— Ne vous étonnez pas... Nora est un peu médium... Elle possède une sorte de fluide qui la met tout de suite en contact avec certaines gens et qui, avec d'autres, joue dans le sens contraire... Vous le croirez si vous voulez, mais ce fluide — je ne trouve pas d'autre mot — m'a souvent rendu service dans les affaires, voire à la Bourse...

Le pied, sous la table, travaillait à nouveau.

— Avec Francis, le contact ne s'est jamais établi... Personnellement, je le trouve intelligent, doué, et je parierais volontiers qu'il fera une belle carrière...

« Prenez par exemple Dramin, plongé là-bas dans un scénario... C'est un garçon sérieux, qui accomplit son travail aussi proprement que possible... J'ai lu d'excellents dialogues de lui... Pourtant, à moins que je ne me trompe complètement,

il ne deviendra jamais un grand metteur en scène...
Il a besoin de quelqu'un, non seulement pour le
diriger, mais pour ajouter l'étincelle indispensable... »

Il était enchanté du mot qu'il venait de trouver.

— L'étincelle!... Voilà ce qui manque la plupart
du temps et ce qui est essentiel, aussi bien au cinéma qu'à la télévision... Des centaines de spécialistes vous fourniront un travail propre, une histoire bien bâtie, un dialogue sans bavures... Seulement, presque toujours, faute de quelque chose,
le résultat est plat et grisâtre... L'étincelle, vous
comprenez?...

« Eh bien, on ne peut pas compter sur Francis
pour vous fournir du solide... Ses idées sont souvent saugrenues... Il m'a exposé je ne sais combien
de projets qui suffiraient à me ruiner... Par contre,
de temps en temps, il a l'étincelle...

— Dans quel domaine?

Carus se gratta le nez comiquement.

— Voilà la question... Vous parlez comme
Nora... Un soir, à la fin du dîner, il s'exprimera
de telle façon, avec tant de conviction et de fièvre,
que vous serez persuadé d'avoir affaire à un génie...
Quitte, le lendemain matin, à vous apercevoir que
ce qu'il vous a dit ne tenait pas debout... Il est
jeune... Cela se tassera...

— Il travaille en ce moment pour vous?

— En dehors de ses articles de critique, qui sont
remarquables, bien qu'un peu trop féroces, il ne
travaille pour personne... Il bouillonne de projets,
prépare plusieurs films à la fois sans jamais en finir aucun...

— Et il vous demande des avances?

Les pieds, sous la table, continuaient leur
conversation silencieuse.

— Voyez-vous, monsieur le Commissaire, notre

métier n'est pas un métier comme un autre... Nous
sommes toujours à la recherche de talents, aussi bien
en ce qui concerne les artistes qu'en ce qui concerne
les scénaristes et les réalisateurs... Cela ne paie pas
de prendre un metteur en scène connu, qui vous
frabriquera éternellement le même film, et, quant
aux vedettes, il s'agit de trouver de nouveaux
visages...

« Aussi, nous sommes obligés de miser sur un
certain nombre de jeunes qui promettent... De miser
modérément, sinon nous serions vite ruinés. Un
billet de mille par-ci par-là, un bout d'essai, un
encouragement...

— En somme, si vous prêtiez assez facilement
de l'argent à Ricain, c'est que vous espériez vous
y retrouver un jour...

— Sans trop y croire...

— Et Sophie ?

— Je ne m'occupais pas de sa carrière...

— Elle espérait devenir une vedette ?

— Ne me faites pas dire plus que je ne vous en
dis... Elle était toujours en compagnie de son mari
et elle ne parlait pas beaucoup. Je crois qu'elle
était timide...

Un sourire ironique étira les lèvres pâles de Nora.

— Ma femme est d'un autre avis, et comme j'ai
plus confiance dans son jugement que dans le
mien, n'attachez pas d'importance à mon opinion...

— Quelles étaient les relations entre Sophie et
Francis ?

— Que voulez-vous dire ?

Il feignait l'étonnement.

— Ils paraissaient très unis ?

— On les voyait rarement l'un sans l'autre et je
ne me souviens pas qu'ils se soient disputés en ma
présence...

Le sourire revenait, énigmatique, sur les lèvres de Nora.

— Peut-être était-elle un peu impatiente...

— Dans quel sens ?

— Il croyait dans son étoile, dans l'avenir, un avenir qu'il voyait brillant et presque immédiat... Je suppose que, quand elle l'a épousé, elle s'est imaginée qu'elle allait bientôt être la femme d'un homme célèbre... Célèbre et riche... Or, après plus de trois ans, ils tiraient encore le diable par la queue et elle n'avait rien à se mettre...

— Elle le lui reprochait ?

— A ma connaissance, pas devant les gens...

— Elle avait des amants ?

Nora se tourna vers Carus avec l'air d'attendre curieusement sa réponse.

— Vous me posez une question que...

— Pourquoi ne dis-tu pas la vérité ?

Pour la première fois, elle ne se contentait plus des signaux sous la table et prenait la parole.

— Ma femme fait allusion à un incident sans importance...

Et Nora, cassante :

— Cela dépend pour qui...

— Un soir que nous avions bu...

— Cela se passait où ?

— Au *Raphaël*... Nous sortions d'ici... Maki était avec nous... Dramin aussi... Puis un photographe, Huguet, qui travaille pour une maison de publicité... Je crois que Bob nous a accompagnés...

A l'hôtel, j'ai fait monter du champagne et du whisky... Plus tard, je me suis rendu dans la salle de bains et j'ai dû traverser notre chambre où seules les lampes de chevet étaient allumées...

« J'ai trouvé Sophie étendue sur un des lits jumeaux... Pensant qu'elle était malade, je me suis penché... »

Le sourire de Nora était de plus en plus sarcastique.

— Elle pleurait... J'ai eu toutes les peines du monde à lui arracher quelques mots... Elle m'a avoué son découragement, son envie de se tuer...

— Comment vous ai-je trouvés tous les deux ?

— Je l'ai prise machinalement dans mes bras, c'est vrai, comme pour consoler une gamine...

— Je vous demandais si elle avait des amants. Je ne pensais pas à vous en particulier.

— Elle a posé nue pour Maki, mais je suis persuadé que Maki ne toucherait pas à la femme d'un ami...

— Ricain était jaloux ?

— Vous m'en demandez trop, monsieur Maigret... A votre santé !... Cela dépend de ce que vous entendez par jalousie... Il n'aurait pas aimé perdre son influence sur elle, voir un autre homme prendre à ses yeux plus d'importance que lui-même... Dans ce sens, il était jaloux de ses amis aussi... Si, par exemple, j'invitais Dramin à venir prendre le café à notre table sans l'inviter aussi, il me boudait pendant une semaine...

— Je crois que je comprends...

— Vous n'avez pas pris de dessert ?

— Je n'en prends presque jamais...

— Nora non plus... Bob !... Qu'est-ce que tu me conseilles comme dessert ?...

— Une crêpe flambée au marasquin ?

Carus regarda comiquement son estomac et son ventre arrondis.

— Un peu plus ou un peu moins... Va pour la crêpe !... Deux ou trois crêpes... Plutôt à l'armagnac qu'au marasquin...

Pendant ce temps-là, le pauvre Lapointe se morfondait à sa table, le dos tourné à la salle. Maki se curait les dents avec une allumette, se demandant sans doute si son tour allait venir de voir le commissaire s'asseoir devant lui.

La table des médecins était la plus gaie et une des femmes laissait de temps en temps fuser un rire aigu qui faisait tressaillir Nora.

Rose quitta un moment ses fourneaux pour faire le tour des tables, s'essuyant la main à son tablier avant de la tendre. Elle aussi, comme les toubibs, était d'une bonne humeur que la mort de Sophie n'avait pas altérée.

— Alors, Walter, vieille crapule ?... Comment se fait-il qu'on ne t'ait pas vu depuis mercredi ?...

— J'ai dû sauter dans l'avion de Francfort, pour voir un de mes associés, et, de là, je me suis envolé pour Londres...

— Tu l'as accompagné, ma petite ?

— Pas cette fois-ci... J'avais un essayage...

— Tu n'as pas peur de le laisser voyager seul ?...

Elle s'éloignait en riant pour s'arrêter devant une autre table, puis une autre. Bob, sur un guéridon, flambait les crêpes.

— Je comprends, dit-il, que Ricain vous ait cherché en vain une partie de la nuit...

— Pourquoi me cherchait-il ?

— C'est le commissaire qui me l'a appris tout à l'heure... Il avait besoin de deux mille francs tout de suite... Mercredi, il est venu ici et il a demandé après vous...

— J'ai pris l'avion à cinq heures...

— Il est revenu deux fois... Il aurait voulu que je lui prête la somme, mais c'était trop gros pour moi... Il est ensuite allé au Club...

— Qu'avait-il besoin de deux mille francs ?

— Le propriétaire menaçait de le mettre à la porte...

Carus se tourna vers le commissaire.

— C'est vrai ?

— C'est ce qu'il m'a raconté...

— Vous l'avez arrêté?

— Non. Pourquoi?

— Je ne sais pas. Ma question est idiote, en effet...

— Vous pensez qu'il aurait pu tuer Sophie?

Les pieds, toujours les pieds! On en suivait littéralement le langage sous la nappe tandis que le visage de Nora restait figé.

— Je ne le vois pas tuer qui que ce soit... De quelle arme s'est-on servi?... Le journal ne le dit pas... La radio n'en parle pas non plus...

— D'un pistolet automatique...

— Francis n'a jamais dû posséder d'arme à feu...

— Mais si! intervint la voix mate et précise de Nora. Tu l'as vu. Cette nuit-là, chez lui, tu as même eu peur. Il avait beaucoup bu. Il venait de nous raconter une scène de hold-up...

« Il a passé un bas de Sophie sur sa tête et s'est mis à nous menacer du pistolet en nous donnant l'ordre de nous coller au mur, les bras en l'air... Tout le monde a obéi, par jeu...

« Tu as été le seul à avoir peur et à demander si l'arme était chargée...

— Tu as raison... Cela me revient... Je n'y avais pas attaché d'importance... J'avais bien bu moi-même...

— Il a fini par remettre l'arme dans le tiroir de la commode...

— Qui était présent? questionna Maigret.

— Toute la bande... Maki, Dramin, Pochon... Dramin était avec une fille que je n'avais jamais vue et dont je ne me souviens plus... Elle a été malade et a passé près d'une heure aux toilettes...

— Jacques était là aussi...

— Avec sa nouvelle, oui, qui est déjà enceinte...

— Quelqu'un sait-il que, l'an dernier, probablement, Sophie a été enceinte aussi ?

Pourquoi Nora se tourna-t-elle vivement vers
Carus ? Celui-ci la regarda, surpris.

— Tu l'as su, toi ?

— Non. Si elle a eu un enfant...

— Elle n'en a pas eu, précisa le commissaire.
Elle l'a fait partir entre le troisième et le quatrième mois...

— Cela ne s'est pas vu...

Maki toussait, dans son coin, comme pour rap-
peler Maigret à l'ordre. Il y avait un bon moment qu'il avait fini de manger et il s'impatientait.

— Nous vous avons dit tout ce que nous savons,
commissaire... Si vous avez besoin de moi, passez
donc me voir à mon bureau...

Adressa-t-il vraiment un clin d'œil en tirant une
carte de visite de son portefeuille et en la tendant ?

Maigret eut l'impression que Carus avait beaucoup d'autres choses à dire, mais que la présence
de Nora l'en empêchait.

-:-

Réinstallé dans son coin, Maigret bourrait enfin
une pipe tandis que Lapointe lui annonçait avec un
léger sourire :

— Il hésite encore ; mais il ne tardera pas à se
lever...

Il parlait de Maki. Faute de pouvoir regarder
dans la salle, à laquelle il tournait le dos, l'inspecteur avait passé son temps à observer le sculpteur, le seul à se trouver dans son champ de vision.

— D'abord, quand vous vous êtes assis à la
table des Carus, il a froncé ses gros sourcils, puis
il a haussé les épaules... Il avait une carafe de

vin rouge devant lui... Moins de cinq minutes plus
tard, il l'avait vidée et il faisait signe au garçon de
lui en servir une autre...

« Il ne perdait pas un de vos gestes, pas une de
vos attitudes... On aurait dit qu'il essayait de lire
les mots sur les lèvres de chacun...

« Il n'a pas tardé à s'impatienter... A certain
moment, il a appelé le patron et lui a parlé à
voix basse... Tous les deux regardaient de votre
côté...

« Puis il s'est levé à moitié, après avoir consulté
sa montre... J'ai cru qu'il allait partir, mais il a
commandé un armagnac qu'on lui a servi dans un
verre à dégustation... Il vient!... »

Lapointe ne se trompait pas. Maki, sans doute
vexé de ne pas voir Maigret se déranger, se décidait à venir à lui. Un instant, il restait debout,
immense, devant les deux hommes.

— Excusez-moi, murmurait-il en portant la main
à sa tempe dans un vague salut. Je voulais vous
prévenir que je m'en allais...

Maigret allumait sa pipe à petites bouffées.

— Asseyez-vous, M. Maki... C'est votre véritable nom?

S'asseyant lourdement, l'homme grommelait :

— Bien sûr que non... Je m'appelle Lecœur...
Ce n'est pas un nom de sculpteur... Personne ne
m'aurait pris au sérieux...

— Vous saviez que j'avais envie de vous parler?

— Ben, puisque je suis aussi un copain de Francis...

— Comment avez-vous appris la nouvelle?

— En arrivant ici... Je n'avais pas lu le journal
du soir et je n'écoute jamais la radio...

— Cela vous a fait un coup?

— Je plains Francis...

— Pas Sophie?

Il n'était pas ivre mais ses pommettes étaient roses, ses yeux brillants, ses gestes trop appuyés.

— Sophie était une garce...

Il les regarda tour à tour comme pour les défier de le contredire.

— Qu'est-ce qu'il vous a raconté, Monsieur Carus ?

Il prononçait ironiquement Môssieu à la façon des clowns.

— Il ne sait rien, bien entendu. Et vous ?

— Que voudriez-vous que je sache ?

— Quand avez-vous vu Francis Ricain et sa femme pour la dernière fois ?

— Lui, c'était mercredi...

— Sans elle ?

— Il était seul.

— A quelle heure ?

— Vers dix heures et demie... Il m'a parlé avant d'aller trouver Bob... J'avais fini de dîner et je dégustais mon armagnac...

— Que vous a-t-il dit ?

— Il m'a demandé si je savais où trouver Carus... Il faut vous dire que je travaille, moi aussi, pour ce monsieur-là... Enfin, plus ou moins... Il avait besoin d'une maquette, pour un film à la noix, un film de terreur, et je lui ai fourni quelque chose de gratiné...

— Il vous a payé ?

— La moitié du prix convenu... J'attends l'autre moitié...

— Francis vous a dit pourquoi il voulait voir Carus ?

— Vous le savez très bien... Il avait besoin de deux mille balles... Je ne les avais pas... Je lui ai offert un verre et il est parti...

— Vous ne l'avez pas revu depuis ?

— Ni lui, ni elle... Que vous a raconté la Nora ?...

— Pas grand-chose... Elle ne paraît pas porter Sophie dans son cœur...

— Elle n'y a jamais porté personne... Pas étonnant que sa poitrine soit si plate... Je vous demande pardon... Ce n'est pas très spirituel... Je ne peux pas la blairer... Lui non plus, malgré ses sourires et ses poignées de main... A première vue, ils sont mal assortis, lui tout miel, elle tout vinaigre, mais au fond ils se valent...

« Quand quelqu'un peut leur être utile, ils le pressurent jusqu'au dernier jus, puis ils le rejettent comme une peau d'orange... »

— C'est ce qui est arrivé avec vous ?

— Que vous ont-ils dit de Francis ? Vous ne m'avez pas répondu...

— Carus a l'air de le tenir en haute estime...

— Et elle ?

— Elle ne l'aime pas...

— Ils vous ont parlé de Sophie ?...

— Ils m'ont raconté une histoire de chambre à coucher, une nuit que, au *Raphaël*, tout le monde avait bu...

— J'y étais...

— Il ne s'est rien passé, paraît-il, entre Carus et Sophie...

— Mon œil !

— Vous les avez vus ?

— Je suis passé deux fois dans la chambre, pour aller au cabinet de toilette, sans qu'ils s'en aperçoivent... Elle a essayé avec moi aussi... Elle voulait que je fasse une sculpture d'après elle, moi qui suis un abstrait.... J'ai fini par accepter, pour m'en débarrasser...

— Vous avez été son amant ?

— Il a bien fallu que je couche avec elle, par politesse. Elle m'en aurait voulu si je ne l'avais

pas fait... Je n'étais pas fier, à cause de Francis...
Il ne méritait pas d'épouser une roulure...

— Elle vous a parlé, à vous aussi, de ses idées
de suicide?

— Se suicider, elle? D'abord, quand une femme
en parle, on est sûr qu'elle ne le fera jamais...
Elle jouait la comédie... Avec tout le monde...
Avec, pour chacun, un rôle différent...

— Francis l'a su?

Maigret se mettait à dire Francis, lui aussi,
comme s'il devenait peu à peu un intime de Ricain.

— Si vous voulez mon avis, il s'en doutait... Il
fermait les yeux, mais il enrageait... L'aimait-il
réellement?... Il y a des moments où je me le demande... Il faisait semblant... Il l'avait prise en
charge et ne voulait pas la laisser tomber... Elle a
dû lui faire croire qu'elle se tuerait s'il l'abandon-
nait...

— Vous croyez qu'il a du talent?

— Plus que du talent... De nous tous, c'est le
seul qui fera quelque chose de vraiment important... Je ne suis pas mauvais dans mon genre,
mais je connais mes limites... Lui, le jour où il s'y
mettra...

— Je vous remercie monsieur Maki...

— On dit Maki tout court. C'est un nom qui ne
va pas avec le monsieur...

— Bonsoir, Maki...

— Bonsoir, commissaire... Et celui-ci, je suppose
que c'est un de vos inspecteurs?... Bonsoir aussi...

Il s'éloigna d'une démarche lourde après un petit
salut en direction de Bob.

Maigret s'épongea.

— Il en reste un, Dramin, qui a le nez plongé
dans son scénario, mais j'en ai assez pour ce
soir...

Il chercha le garçon des yeux, réclama l'addition. Ce fut Mandille qui se précipita :

— Permettez-moi de vous considérer tous les deux comme mes invités...

— Impossible... soupira Maigret.

— Vous accepterez tout au moins un vieil armagnac ?

Il fallut y passer.

— Vous avez obtenu les renseignements que vous espériez ?

— Je commence à m'y retrouver dans leur groupe...

— Il ne sont pas tous ici... Et l'atmosphère change selon les jours... Certains soirs, c'est très gai, parfois déchaîné... Vous n'avez pas parlé à Gérard ?...

Il désignait Dramin qui, son scénario à la main, se dirigeait vers la porte.

— Hé, Gérard... Je te présente le commissaire Maigret et un de ses inspecteurs... Tu prends un verre avec nous ?

Très myope, il portait des verres épais et penchait la tête en avant.

— Enchanté... Je vous demande pardon... Non, j'ai un travail à finir... A propos, on a arrêté Francis ?

— Non... Pourquoi ?...

— Je ne sais pas... Excusez-moi...

Il décrochait son chapeau à la patère et ouvrait la porte pour s'éloigner le long du trottoir.

— Il ne faut pas faire attention... Il est toujours comme ça... Je crois que c'est une pose, une façon de se donner de l'importance... Il joue le distrait, le solitaire... Peut-être vous en veut-il de ne pas être allé .e trouver.. Je jurerais qu'il n'a pas lu une ligne de la soirée...

— A votre santé... murmura Maigret. Pour ma part, j'ai hâte d'être dans mon lit...

Il passa pourtant, en compagnie de Lapointe, par la rue Saint-Charles, gratta à la porte du studio. Lourtie vint leur ouvrir. Il avait retiré son veston et ses cheveux étaient défaits d'avoir dormi dans le fauteuil. La pièce n'était éclairée que par une veilleuse et l'odeur de désinfectant ne s'était pas dissipée.

— Il n'est venu personne?

— Deux journalistes... Je ne leur ai rien dit, sinon pour leur conseiller de s'adresser au Quai...

— Pas de téléphone?

— On a appelé deux fois.

— Qui?

— Je n'en sais rien... J'ai entendu la sonnerie... J'ai décroché, crié : allô... J'ai entendu une respiration à l'autre bout du fil, mais on n'a rien dit et on a bientôt raccroché...

— Les deux fois?

— Les deux fois.

— Vers quelle heure?

— La première, vers huit heures dix, la seconde il y a quelques instants...

Quelques minutes plus tard, Maigret somnolait dans la petite voiture noire qui le ramenait chez lui.

— Je suis éreinté, avoua-t-il à sa femme en commençant à se déshabiller.

— J'espère que tu as bien dîné?

— Trop bien... Il faudra que je t'invite dans ce restaurant-là... Il est tenu par une ancienne chanteuse d'opéra-comique qui s'est mise à la cuisine... Elle prépare une de ces chaudrées...

— A quelle heure, demain?

— Sept heures?

— Si tôt?

Si tôt, en effet, car il fut tout de suite sept
heures, sans transition Maigret n'avait même pas
l'impression de s'être endormi qu'il sentait l'odeur
du café et que sa femme lui touchait l'épaule
avant d'aller ouvrir les rideaux.

Le soleil était clair et tiède. C'était merveilleux
d'ouvrir la fenêtre dès le réveil et d'entendre pé-
pier les moineaux.

— Je suppose que je ne dois pas compter sur toi à
midi ?

— C'est improbable que j'aie le temps de rentrer
déjeuner... Une drôle d'histoire... De drôles de
gens... Je suis en plein dans le cinéma et, comme
au cinéma, tout a commencé par un gag, par le
vol de mon portefeuille...

— Tu crois que c'est lui qui l'a tuée ?

Mme Maigret, qui ne connaissait l'affaire que
par le journal et la radio, s'en voulait aussitôt de sa
question.

— Je te demande pardon...

— De toute façon, je serais bien en peine de te
répondre...

— Tu ne prends pas ton demi-saison ?

— Non... Le temps est le même qu'hier et, hier,
je n'ai pas eu froid... Pas même en rentrant cette
nuit...

Il n'attendit pas l'autobus, héla un taxi et se fit
conduire dans l'île Saint-Louis. En face de l'hôtel
des Cigognes, il y avait un bistrot au zinc entouré de piles de bois et de sacs de charbon. Torrence, le visage mou de fatigue, y buvait un café
quand le commissaire le rejoignit.

— Comment s'est passée la nuit ?

— Comme toutes les planques... Il ne s'est rien
passé, sauf que je connais maintenant l'heure à
laquelle chacun éteint ses lumières... Il doit y
avoir quelqu'un de malade, au quatrième à droite,

car la fenêtre est restée éclairée jusqu'à six heures
du matin...

« Votre Ricain n'est pas sorti... Des locataires
sont rentrés. Un taxi a amené un couple de voyageurs... Un chien s'est attaché à moi et m'a suivi
presque toute la nuit dans mes allées et venues...
C'est tout...

— Tu peux aller te coucher...

— Et mon rapport ?

— Tu le feras demain.

Il entra à l'hôtel, dont il connaissait le patron
depuis trente ans. C'était un établissement modeste
qui ne recevait guère que des habitués, presque
tous de l'Est, car le propriétaire était alsacien.

— Mon locataire est réveillé ?

— Il a sonné voilà dix minutes pour demander
si on pouvait lui monter une tasse de café et des
croissants... On vient de les lui porter...

— Qu'a-t-il mangé, hier soir ?

— Rien... Il a dû s'endormir tout de suite car,
quand on est allé frapper à sa porte, vers sept
heures, on n'a pas reçu de réponse... Qu'est-ce que
c'est...? Un témoin important ?... Un suspect ?...

Il n'y avait pas d'ascenseur. Maigret gravit les
quatre étages à pied, atteignit le palier en souf-
flant et resta un moment immobile avant de frapper au 43.

— Qui est là ?

— Maigret.

— Entrez.

Repoussant le plateau sur la couverture, Francis
émergeait du lit, la poitrine nue et maigre, le
visage envahi de barbe bleuâtre, les yeux fiévreux.
Il avait encore un croissant à la main.

— Je m'excuse de ne pas me lever, mais je n'ai
pas de pyjama...

— Vous avez bien dormi ?

— J'ai été comme assommé... J'ai dormi si fort que j'en ai encore la tête lourde... Quelle heure est-il?...

— Huit heures et quart...

La chambre, petite et mal meublée, donnait sur la cour et les toits. Par la fenêtre entrouverte, on entendait des voix dans les maisons voisines, des cris d'enfants dans une cour d'école.

— Vous avez découvert quelque chose?...

— J'ai dîné au *Vieux-Pressoir*.

Ricain l'observait, l'œil aigu, déjà sur la défensive, et on sentait qu'il soupçonnait tout le monde de lui mentir.

— Ils étaient là?

— Il y avait les Carus...

— Qu'est-ce qu'il a dit?

— Il jure que vous êtes une sorte de génie.

— Je suppose que Nora a eu soin de lui affirmer que je ne suis qu'un imbécile?

— A peu près. Elle vous aime sûrement moins que lui.

— Et elle aimait encore moins Sophie!

— Maki était là aussi.

— Saoul?

— Vers la fin seulement, il commençait à vaciller.

— C'est un brave type.

— Lui aussi est sûr que vous deviendrez quelqu'un.

— Ce qui signifie que je ne suis personne...

Il ne finissait pas son croissant. On aurait dit que l'arrivée de Maigret lui avait coupé l'appétit.

— Que pensent-ils de ce qui s'est passé? Que j'ai tué Sophie?

— A vrai dire, personne ne vous croit coupable. Certains s'imaginaient cependant que la police a

une autre opinion et chacun m'a demandé si je
vous avais arrêté.

— Qu'avez-vous répondu ?

— La vérité.

— C'est-à-dire ?

— Que vous êtes libre.

— Vous croyez que c'est réellement la vérité ?
Qu'est-ce que je fais ici ? Avouez que vous avez
eu un homme en faction toute la nuit devant l'hôtel...

— Vous l'avez vu ?

— Non, mais je sais comment cela se passe... A
présent, qu'est-ce qu'on va faire de moi ?...

Maigret se posait la question, lui aussi. Il n'avait
pas envie de laisser Ricain courir librement dans
Paris et, d'autre part, il n'avait aucune raison suf-
fisante pour l'arrêter.

— Je vais d'abord vous demander de me suivre
quai des Orfèvres.

— Encore ?

— J'aurais peut-être quelques questions à vous
poser... D'ici là, les hommes-grenouilles de la brigade fluviale auront peut-être retrouvé votre pistolet...

— Qu'ils le retrouvent ou non, qu'est-ce que
cela peut changer ?

— Vous avez un rasoir, du savon... Il y a une
douche au fond du couloir... Je vous attends en
bas ou dehors.

Une nouvelle journée commençait, aussi claire,
aussi douce que la veille et l'avant-veille, mais il
était trop tôt pour savoir de quoi elle serait faite.

François Ricain intriguait le commissaire et les
opinions qu'il avait recueillies la veille n'étaient
pas sans le rendre assez attachant.

Il était, en tout cas, un garçon hors série et Ca-

rus avait été impressionné par ses possibilités. Mais
Carus ne s'emballait-il pas chaque fois qu'on lui
présentait un artiste, quitte à le laisser tomber
quelques mois ou quelques semaines plus tard?

Il faudrait que Maigret aille le voir à son bureau, où le producteur lui avait donné un énigmatique rendez-vous. Il avait quelque chose à lui dire,
quelque chose dont il ne voulait pas parler devant
Nora. Celle-ci l'avait senti et le commissaire se demandait si Carus serait rue de Bassano ce matin-
là, si sa maîtresse ne l'empêcherait pas de s'y rendre.

Il n'avait fait, jusqu'ici, qu'effleurer un petit
monde comme il en existe des milliers, des dizaines
de milliers à Paris, composés d'amis, de parents, de
collègues, d'amants et de maîtresses, d'habitués
d'un café ou d'un restaurant, petits mondes qui
se forment, se resserrent un moment et se disper-
sent pour former d'autres petits mondes plus ou
moins homogènes.

Comment s'appelait encore le photographe qui
s'était marié deux fois, qui avait des enfants de ses
deux femmes et qui venait d'en faire un à une nouvelle maîtresse?

Il confondait encore les noms, la place de chacun. Or, le meurtre de Sophie avait été commis par
un familier du ménage — ou de la jeune femme
seule. Sinon, elle n'aurait pas ouvert sa porte.

A moins que quelqu'un ne possède une clef?

Il faisait les cent pas, comme Torrence l'avait
fait toute la nuit, mais il avait la chance, lui, de se
promener au soleil. La rue grouillait de ménagères
qui se retournaient sur ce monsieur qui allait et
venait, les mains derrière le dos, comme un maître
d'école dans le préau.

Oui, il avait encore beaucoup de questions à po-

ser à Francis... Et, sans doute, comme la veille,
allait-il avoir devant lui un animal ombrageux, se
cabrant et se calmant tour à tour, méfiant, impatient, lançant soudain une ruade...

— Je suis à votre disposition...

Maigret lui désigna le bistrot du bougnat.

— Vous ne voulez rien boire?

— Non, merci.

Dommage, car Maigret aurait volontiers commencé cette journée printanière par un petit vin
blanc.

CHAPITRE

5

C'ÉTAIT UN MAUVAIS moment à passer. Dans presque toutes ses enquêtes, Maigret connaissait cette période plus ou moins longue de flottement pendant laquelle, comme disaient tout bas ses collaborateurs, il avait l'air de ruminer.

Durant la première étape, c'est-à-dire quand il se trouvait soudain face à face avec un milieu nouveau, avec des gens dont il ne savait rien, on aurait dit qu'il aspirait machinalement la vie qui l'entourait et s'en gonflait comme une éponge.

Il l'avait fait la veille au *Vieux-Pressoir*, sa mémoire enregistrant à son insu les moindres détails de l'atmosphère, les gestes, les jeux de physionomie de chacun.

S'il ne s'était senti las, il serait allé ensuite au *Club Zéro* que fréquentaient certains des membres de la petite bande.

A présent, il avait absorbé une quantité d'impressions, tout un fouillis d'images, de phrases prononcées, de mots plus ou moins importants, de regards surpris, mais il ignorait encore ce qu'il en ferait.

Ses familiers savaient qu'il valait mieux ne pas lui poser de questions, ni le regarder d'un œil interrogateur, car il devenait volontiers bougon.

Comme il s'y attendait, une note, sur son bureau, lui demandait d'appeler le juge Camus au téléphone.

— Allô!... Ici, Maigret...

Il avait rarement travaillé avec ce magistrat qu'il ne classait ni parmi les casse-pieds, ni parmi ceux qui laissent prudemment à la police le temps de faire son métier.

— Si je vous ai prié de m'appeler c'est que j'ai reçu un coup de téléphone du procureur... Il est impatient de savoir où en est l'enquête...

Le commissaire faillit grommeler :

— Nulle part...

Ce qui était vrai. Un crime ne pose pas un problèmes d'algèbre. Il met en cause des êtres humains dont on ne savait rien la veille, qui n'étaient que des passants parmi les autres. Or, soudain, chacun de leurs gestes, chacune de leurs paroles prend de l'importance et leur existence est passée au peigne fin.

— L'enquête continue, préféra-t-il murmurer. Il est probable que, dans une heure ou deux, nous aurons en main l'arme qui a servi. Les hommes-grenouilles la cherchent au fond de la Seine.

— Qu'avez-vous fait du mari ?

— Il est ici, dans la glacière.

Il se reprit, car c'était un terme que ne pouvaient comprendre que les inspecteurs de sa brigade. Quand on ne savait que faire d'un témoin tout en désirant le garder sous la main, quand on

se trouvait devant un suspect qui n'était pas à
point, on le mettait en glacière.

On lui disait, en l'introduisant dans la salle d'attente vitrée qui donnait sur le long couloir :

— Attendez-moi donc un instant...

Il y avait en permanence des gens qui attendaient,
des femmes nerveuses, certaines qui pleuraient et
se tamponnaient les yeux de leur mouchoir, des
demi-sels qui s'efforçaient de garder une attitude
confiante, de braves types, parfois, qui restaient
patiemment à regarder les murs peints en vert clair
en se demandant si on n'avait pas oublié leur existence.

Une heure ou deux en glacière suffisaient souvent à rendre les gens loquaces. Des témoins bien
décidés à ne rien dire devenaient plus souples.

Il arrivait qu'on les « oublie » pendant plus
d'une demi-journée et ils épiaient la porte, se le-
vaient à moitié chaque fois que l'huissier s'appro-
chait, espérant que c'était enfin leur tour.

Ils voyaient les inspecteurs s'en aller à l'heure
de midi, prenaient leur courage à deux mains pour
aller demander à Joseph :

— Vous êtes sûr que le commissaire sait que je
suis ici ?

— Il est toujours en conférence.

Faute de mieux, Maigret avait mis Ricain en
glacière.

Il traduisait, pour le juge d'instruction :

— Il est dans la salle d'attente. Je l'interrogerai
à nouveau, dès que j'aurai recueilli de nouveaux
renseignements.

— Quelle est votre impression ? Coupable ?

Encore une question que le magistrat n'aurait
pas posée s'il avait travaillé plus longtemps avec
Maigret.

— Je n'ai aucune impression.

C'était vrai. Il attendait aussi longtemps que possible avant de se former une opinion. Et encore ne se la « formait-il » pas. Il gardait l'esprit libre jusqu'au moment où une évidence s'imposait à lui ou bien jusqu'à ce que son interlocuteur craque.

— Vous croyez que ce sera long ?

— J'espère que non.

— L'hypothèse du crime crapuleux est écartée ?

Comme si tous les crimes n'étaient pas crapuleux ! On ne parlait pas le même langage, on n'avait pas la même image de l'homme au Palais de Justice qu'à la Police judiciaire.

Il était difficile d'admettre qu'un inconnu, en quête d'argent, se soit présenté, après dix heures du soir, rue Saint-Charles, et que Sophie Ricain, déjà en tenue de nuit, l'ait introduit sans méfiance dans le studio.

Ou bien son meurtrier possédait une clef, ou bien c'était quelqu'un qu'elle connaissait, en qui elle avait confiance. Surtout si l'assassin avait dû, en sa présence, ouvrir le tiroir de la commode pour y prendre l'automatique.

— Soyez gentil de me tenir au courant... Ne me laissez pas trop longtemps sans nouvelles... Le Parquet est impatient...

Mais oui ! Le Parquet est toujours impatient. Des messieurs qui vivent confortablement dans leur bureau et qui n'envisagent la criminalité qu'à travers des textes juridiques et des statistiques. Un coup de téléphone du cabinet du ministre les faisait trembler.

— Comment n'a-t-on encore arrêté personne ?

Le ministère, lui, était poussé par l'impatience des journaux. La bonne affaire, pour ceux-ci, le beau crime, c'est celui qui apporte chaque jour son rebondissement spectaculaire. Si le lecteur est laissé trop longtemps sur sa faim, il oublie l'affaire. Un clou chasse l'autre. Et de beaux titres en première page sont perdus.

— D'accord, monsieur le Juge... Oui, monsieur le Juge... Je vous appellerai, monsieur le Juge...

Il adressait un clin d'œil à Janvier.

— Va de temps en temps dans le couloir voir comment il se comporte... C'est le type à piquer une crise de nerfs ou à forcer ma porte...

Il n'en parcourut pas moins son courrier, se rendit au rapport, où il retrouva ses collègues et où on discuta sans passion de quelques affaires en cours.

— Rien de nouveau, Maigret ?

— Rien de nouveau, monsieur le Directeur.

Ici, on n'insistait pas. On était entre gens du métier.

Quand le commissaire retrouva son bureau, peu avant dix heures, la brigade fluviale le demandait.

— Vous avez retrouvé l'arme ?

— Par chance, le courant est assez faible ces jours-ci et la Seine, à cet endroit, a été draguée l'automne dernier. Mes hommes ont trouvé presque tout de suite, à quarante mètres en amont du pont, à une dizaine de mètres de la rive gauche, un automatique 6,35 de fabrication belge. Le chargeur contient encore cinq cartouches.

— Voulez-vous le faire porter chez Gastinne-Renette ?

Et, à Janvier :

— Tu t'en occupes ? Il a déjà la balle.

— Entendu, patron.

Maigret faillit téléphoner rue de Bassano, décida de ne pas s'annoncer et se dirigea vers le grand escalier en évitant de se tourner vers la salle d'attente.

Son départ ne pouvait échapper à Ricain, qui

devait se demander où il allait. Il croisa en chemin le jeune Lapointe qui arrivait et, au lieu de
prendre un taxi, comme il en avait eu l'intention,
il se fit conduire jusqu'à l'immeuble où Carus avait
ses bureaux.

Il prit le temps de regarder les plaques de cuivre, sous la voûte, remarquant qu'il y avait à peu
près une affaire cinématographique par étage. La
société qui l'intéressait s'appelait la Carossoc et
son siège social se trouvait à l'entresol.

— Je vous accompagne?
— Je préfère.

Non seulement c'était sa méthode, mais elle
était recommandée par le livre d'instructions aux
officiers de police judiciaire.

Une entrée assez sombre, dont l'unique fenêtre
donnait sur la cour où on apercevait un chauffeur
occupé à astiquer une Rolls. Une dactylo rousse
devant le standard téléphonique.

— M. Carus, s'il vous plaît?
— Je ne sais pas s'il est arrivé.

Comme s'il ne fallait pas passer devant elle pour
gagner les autres bureaux!

— De la part de qui?... Vous avez rendez-
vous?...

— Commissaire Maigret.

Elle se leva, voulut les conduire, vers l'anti-
chambre, les mettre à leur tour en glacière.

— Merci... Nous attendrons ici...

Elle n'aimait visiblement pas ça. Au lieu de téléphoner à son patron, elle franchit une porte mate-
lassée et resta trois ou quatre minutes absente.

Ce ne fut pas elle qui apparut la première, mais
Carus en personne, vêtu de fil-à-fil gris clair,
rasé de frais, répandant une odeur de lavande.

Il sortait visiblement de chez son coiffeur et sans
doute s'était-il fait masser le visage. C'était le

genre d'homme à se prélasser une bonne demi-heure, chaque matin, dans le fauteuil articulé.

— Comment allez-vous, cher ami ?...

Il tendait une main cordiale au cher ami qu'il ne connaissait pas la veille à six heures du soir.

— Entrez, je vous en prie... Entrez aussi, jeune homme... Je suppose que c'est un de vos collaborateurs ?...

— L'inspecteur Lapointe...

— Vous pouvez nous laisser, mademoiselle... Je n'y suis pour personne et je ne prends aucune communication, à moins qu'on ne m'appelle de New York.

Il expliquait, souriant :

— Je déteste être interrompu par des coups de téléphone...

Il n'y en avait pas moins trois appareils sur son bureau. La pièce était vaste, les murs garnis de cuir beige, comme les fauteuils, l'épaisse moquette d'un marron très doux.

Quant à l'immense bureau de palissandre, il était encombré d'assez de dossiers pour occuper une douzaine de secrétaires.

— Asseyez-vous, je vous en prie... Que puis-je vous offrir ?...

Il se dirigeait vers un meuble bas qui se révéla être un bar de bonnes dimensions.

— Il est peut-être un peu tôt pour l'apéritif, mais je me suis laissé dire que vous êtes un amateur de bière... Moi aussi... J'en ai d'excellente, que je fais venir directement de Munich...

Il se montrait plus démonstratif que la veille, peut-être parce qu'il n'avait pas à se préoccuper des réactions de Nora.

— Hier, vous m'avez pris au dépourvu... En allant dîner, comme je le fais souvent, chez mon vieil ami Bob, je ne m'attendais pas à vous ren-

contrer... J'avais pris auparavant deux ou trois
whiskies et, le champagne aidant... Je n'étais pas
ivre... Je ne le suis jamais... Je n'en garde pas
moins ce matin qu'un souvenir assez vague de
certains détails de notre conversation... Ma femme
me reproche d'avoir trop parlé, et avec trop de passion... A votre santé!... J'espère que ce n'est pas
l'impression que je vous ai donnée?...

— Vous semblez considérer François Ricain
comme un garçon de valeur, qui a toutes les chances de devenir un de nos grands metteurs en scène...

— J'ai dû vous dire ça, oui... C'est mon habitude de faire confiance aux jeunes et j'extério-
rise volontiers mon enthousiasme...

— Vous n'êtes plus du même avis?

— Mais si! Mais si! Avec, toutefois, des nuan-
ces... Je trouve, chez ce garçon, une tendance au
désordre, à une certaine anarchie... Tantôt il a
trop de confiance en lui et tantôt il en manque...

— Si je me souviens bien de vos paroles, son ménage est, à vos yeux, très uni.

Carus s'était installé au fond d'un des fauteuils, les jambes croisées, son verre dans une
main, un cigare dans l'autre.

— J'ai dit ça?

Il décidait soudain de se lever, posait le verre
encombrant sur une console, tirait quelques bouffées de cigare et arpentait la moquette.

— Écoutez, commissaire, j'espérais que vous
viendriez ce matin...

— C'est ce que j'ai cru comprendre.

— Nora est une femme exceptionnelle... Bien
qu'elle évite de mettre les pieds dans ces bureaux,
je pourrais dire qu'elle est ma meilleure collabo-
ratrice...

— Vous m'avez parlé de ses dons de médium...

Il agita la main comme pour effacer des mots écrits à un invisible tableau noir.

— C'est ce que je dis devant elle, parce que ça lui fait plaisir... La vérité, c'est qu'elle a un bon sens solide et qu'elle se trompe rarement quand elle porte un jugement sur les gens... Moi, je m'emballe... Je fais trop facilement confiance...

— En somme, elle vous sert de cran d'arrêt ?

— Si vous voulez... Je suis bien décidé, quand j'aurai obtenu mon divorce, à en faire ma femme... C'est déjà tout comme...

On sentait que cela devenait plus difficile et qu'il cherchait ses mots, le regard fixé sur la cendre de son cigare.

— Voyons... Comment dire ?... Nora a beau être un être supérieur, elle ne peut s'empêcher d'être jalouse... C'est pourquoi, hier, en sa présence, j'ai été obligé de vous mentir...

— La scène de la chambre à coucher ?

— Exactement... Elle ne s'est pas déroulée comme je l'ai racontée, bien entendu... Il est exact que Sophie s'était réfugiée dans la chambre pour pleurer, à la suite des paroles cruelles que Nora avait prononcées à son égard, je ne sais plus lesquelles, car nous avions tous beaucoup bu...

« Bref, je l'ai rejointe pour la consoler... »

— Elle était votre maîtresse ?

— Si vous tenez à ce mot-là... Elle s'est blottie dans mes bras et, de fil en aiguille, nous sommes devenus imprudents, très imprudents...

— Votre femme l'a vu ?

— Un commissaire de police n'aurait pas hésité à dresser un constat d'adultère...

Il souriait, avec une pointe de satisfaction.

— Dites-moi, M. Carus. Je suppose que des jolies filles défilent quotidiennement dans vos bureaux.

La plupart sont prêtes à tout pour obtenir un bout de rôle.

— C'est exact.

— Je crois savoir qu'il vous arrive d'en profiter ?

— Je ne m'en cache pas...

— Même de Nora ?

— Je vais vous expliquer... Que je profite de temps à autre, comme vous dites, d'une jolie fille, Nora ne s'en inquiète pas trop, à condition que ce soit sans lendemain... Cela fait partie du métier... Tous les hommes en font autant, sauf qu'ils n'ont pas tous les mêmes occasions... Vous-même, commissaire...

Maigret le regarda lourdement, sans sourire.

— Je vous demande pardon si je vous ai choqué... Où en étais-je ?... Je n'ignore pas que vous avez questionné certains de nos amis et que vous continuerez... Je préfère jouer franc jeu avec vous... Vous avez entendu la façon dont Nora parle de Sophie...

« Je préférerais que vous ne vous fassiez pas, d'après ces paroles, une idée de la pauvre fille...

« Ce n'était pas une ambitieuse, au contraire, et elle n'était pas non plus la femme à coucher avec n'importe qui...

« Un élan l'avait portée, toute jeune, presque gamine, vers Ricain, ce qui était fatal, car il possède un certain magnétisme... Les femmes sont impressionnées par les tourmentés, les ambitieux, les amers, les violents...

— C'est le portrait que vous feriez de lui ?

— Et vous ?

— Je ne sais pas encore.

— Bref, elle l'a épousé... Elle lui a fait confiance... Elle l'a suivi comme un petit chien bien dressé, se taisant quand il ne désirait pas qu'elle

parle, tenant aussi peu de place que possible pour
ne pas le déranger et acceptant la vie précaire qu'il
lui faisait...

— Elle était malheureuse?

— Elle en souffrait, mais évitait de le laisser
voir... Or, s'il avait besoin d'elle, de sa présence
passive, il y avait des moments où il s'en irritait, lui
reprochant alors d'être un poids mort, un obstacle à
sa carrière, l'accusant d'être aussi stupide qu'un
bestiaux...

— Elle vous l'a dit?

— Je l'avais déjà deviné, à certaines phrases
échangées devant moi...

— Vous êtes devenu son confident?

— Si vous voulez... Malgré moi, je vous l'assure... Elle se sentait toute perdue dans un milieu
trop dur pour elle et n'avait personne à qui se raccrocher...

— A quelle époque êtes-vous devenu son amant?

— Encore un mot que je n'aime pas... C'était
surtout de la pitié, de la tendresse que j'éprouvais
à son égard... Mon intention était de l'aider...

— A faire une carrière dans le cinéma?

— Je vais vous surprendre, mais j'en ai eu l'idée
et c'est elle qui résistait... Elle n'était pas une
beauté fracassante, une de ces femmes sur qui on
se retourne dans la rue, comme sur Nora...

« J'ai assez le sens des désirs du public... Si je
ne l'avais pas, je ne ferais pas le métier que je fais...
Avec son visage assez ordinaire, son petit corps un
peu frêle, Sophie était assez exactement l'image de
la jeune fille telle que se la représentent la plupart
des gens...

« Les parents auraient pu l'identifier à leur fille,
les jeunes à leur cousine ou à leur bonne amie...
Vous comprenez?... »

— Vous aviez l'intention de la lancer?

— Mettons que j'y pensais...

— Vous lui en avez parlé?

— Pas d'une façon précise. Je l'ai discrètement sondée...

— Où avaient lieu vos rendez-vous?

— Cette question est déplaisante, mais je suis obligé d'y répondre, n'est-ce pas?

— Surtout que je trouverais moi-même la réponse.

— Eh bien, j'ai loué un studio meublé, assez coquet, assez confortable, dans un nouvel immeuble de la rue François-Ier... Pour préciser, c'est ce grand immeuble qui fait le coin de l'avenue George-V... Je n'ai, d'ici, que trois cents mètres à parcourir...

— Un instant. Ce studio était-il destiné exclusivement à vos rendez-vous avec Sophie, ou servait-il à d'autres rencontres?

— En principe, c'était pour Sophie... Il nous était difficile, ici, de trouver un peu d'intimité et je ne pouvais pas non plus me rendre chez elle...

— Vous n'y êtes jamais allé en l'absence de son mari?

— Une fois ou deux...

— Récemment?

— La dernière fois, c'était il y a une quinzaine de jours... Elle ne m'avait pas téléphoné comme elle le faisait d'habitude... Je ne l'ai pas trouvée non plus rue François-Ier... J'ai appelé chez elle et elle m'a dit qu'elle ne se sentait pas bien...

— Elle était malade?

— Découragée... Francis devenait de plus en plus nerveux... Il lui arrivait de se montrer violent... A bout de patience, elle voulait partir, aller n'importe où, travailler comme vendeuse dans le premier magasin venu...

— Vous lui avez conseillé de n'en rien faire?

— Je lui ai donné l'adresse d'un de mes avocats afin qu'elle consulte au sujet d'un divorce éventuel... Cela aurait mieux valu pour tous les deux...

— Elle y était décidée?

— Elle hésitait... Francis lui inspirait de la pitié... Elle considérait comme de son devoir de rester avec lui, jusqu'à ce qu'il réussisse...

— Elle lui en a parlé?

— Certainement pas...

— Comment en êtes-vous si sûr?

— Parce qu'il aurait réagi violemment...

— Je voudrais vous poser une question, monsieur Carus. Réfléchissez avant de répondre, car je ne vous cache pas qu'elle est importante. Vous saviez que, voilà un an environ, Sophie s'est trouvée enceinte.

Il devint pourpre, d'un coup, écrasa nerveusement son cigare dans le cendrier de cristal.

— Je le savais, oui... murmura-t-il en se rasseyant. Cependant, je vous déclare tout de suite, je vous jure sur ce que j'ai de plus cher au monde, que l'enfant n'était pas de moi... A cette époque-là, nous n'avions pas encore de rapports intimes...

« J'ajoute que c'est à cette occasion qu'elle a commencé à se confier à moi... Je la voyais nerveuse, préoccupée... Je l'ai confessée... Elle m'a avoué qu'elle attendait un enfant et que Francis serait furieux... »

— Pourquoi?

— Parce que ce serait une charge de plus, un empêchement à sa carrière... Il tirait le diable par la queue... Avec un enfant... Bref, elle était sûre qu'il ne le lui pardonnerait pas et elle m'a demandé l'adresse d'une sage-femme ou d'un médecin complaisant...

— Vous la lui avez fournie?

— Je dois avouer que j'ai enfreint la loi...

— Il est un peu tard pour prétendre le contraire.

— Je lui ai rendu ce service...

— Francis n'en a rien su?

— Non... Il est trop préoccupé de lui-même pour s'intéresser à ce qui se passe autour de lui, même quand cela concerne sa femme...

Il se leva, hésitant, et, sans doute pour se donner une contenance, il alla chercher des bouteilles de bière fraîche dans le bar.

-:-

On l'appelait M. Gaston, avec une familiarité respectueuse, car c'était un homme sérieux et digne, conscient des responsabilités qui pèsent sur les épaules du concierge d'un grand hôtel. Il avait repéré Maigret avant que celui-ci eût franchi le tambour de la porte et avait froncé les sourcils tandis que défilaient très vite dans son esprit les visages des clients susceptibles de lui valoir la visite de la police.

— Attends-moi un instant, Lapointe...

Il attendit lui-même qu'une vieille dame se fût assurée de l'heure d'arrivée d'un avion de Buenos Aires avant de serrer discrètement la main de M. Gaston.

— N'ayez pas peur. Rien de désagréable.

— Quand je vous vois entrer, je me demande toujours...

— Si je ne me trompe, M. Carus occupe un appartement chez vous, au quatrième?

— C'est exact... Avec Mme Carus...

— Elle est inscrite sous ce nom?

— Enfin, c'est celui que nous lui donnons...

C'est à peine si M. Gaston avait besoin de sourire pour se faire comprendre.

— Elle est là-haut?

Un coup d'œil au tableau de clefs.

— Je ne sais pas pourquoi je regarde... Une vieille habitude... A cette heure-ci, elle est certainement en train de prendre son petit déjeuner...

— M. Carus s'est absenté cette semaine, n'est-ce pas ?

— Mercredi et jeudi...

— Il est parti seul ?

— Son chauffeur l'a conduit à Orly vers 5 heures... Je crois qu'il devait prendre l'avion pour Francfort...

— Quand est-il rentré ?

— Hier après-midi, venant de Londres...

— Bien que vous ne soyez pas ici la nuit, vous avez peut-être le moyen de savoir si Mme Carust est sortie mercredi soir et à quelle heure elle es rentrée ?

— C'est facile...

Il feuilleta les pages d'un grand registre relié de noir.

— En rentrant le soir, les clients ont l'habitude de s'arrêter un moment pour dire à mon collègue de nuit à quelle heure ils désirent être éveillés et ce qu'ils prendront pour leur petit déjeuner.

« Mme Carus n'y manque jamais... On ne note pas les heures de rentrée mais, d'après la position des noms sur la page, il est possible de fixer une heure approximative...

« Tenez... Il y a une dizaine de noms seulement, mercredi avant le sien... Miss Trevor... Une couche tôt, une vieille demoiselle, qui rentre toujours avant 10 heures... Les Maxwell... A vue de nez je vous dirais qu'elle est rentrée avant minuit, mettons entre dix heures et minuit... En tout cas avant la sortie des théâtres... Ce soir, je demanderai confirmation à mon collègue de nuit... »

— Je vous remercie. Voulez-vous m'annoncer ?

— Vous désirez la voir ?... Vous la connaissez ?..,

— J'ai pris le café, hier soir, avec elle et son
mari. Mettons que ce soit une visite de courtoisie.

— Passez-moi le 403, s'il vous plaît... Allô...
Mme Carus?... Ici le concierge... le commissaire
Maigret demande s'il peut monter... Oui... D'ac-
cord... Je vais le lui dire...

Et, à Maigret :

— Elle vous demande d'attendre une dizaine de
minutes...

Était-ce pour achever son terrible et savant maquillage ou pour téléphoner rue de Bassano ?

Le commissaire rejoignit Lapointe et tous les
deux, en silence, allèrent de vitrine en vitrine, ad-
mirant les bijoux exposés par les principaux joail-
liers de Paris, les manteaux de fourrure ailleurs,
la lingerie.

— Tu n'as pas soif ?

— Merci...

Ils avaient la désagréable impression qu'on les
suivait des yeux et ce fut un soulagement de voir
que les dix minutes étaient passées et de pénétrer
dans un des ascenseurs.

— Quatrième.

Nora, qui vint leur ouvrir, portait un peignoir
de satin vert pâle, assorti à la couleur de ses prunelles, et ses cheveux paraissaient plus décolorés
que la veille, presque blancs.

Le salon était vaste, éclairé par deux grandes
baies dont l'une ouvrait sur un balcon.

— Je ne m'attendais pas à votre visite et vous me
prenez au saut du lit...

— J'espère que nous n'interrompons pas votre
petit déjeuner ?

Le plateau n'était pas dans la pièce mais sans
doute dans la chambre voisine.

— C'est mon mari que vous désirez voir ?... Il y
a longtemps qu'il est parti pour son bureau...

— C'est à vous que j'aimerais, en passant, poser deux ou trois questions. Bien entendu, rien ne vous oblige d'y répondre. Tout d'abord, une question que je pose, par routine, à tous ceux qui ont connu Sophie Ricain. N'y voyez pas malice. Où étiez-vous mercredi soir ?

Elle ne broncha pas, s'installa dans un fauteuil blanc et demanda :

— A quelle heure ?

— Où avez-vous dîné ?

— Un instant... Mercredi ?... Hier, vous étiez avec nous... Jeudi, j'ai dîné seule au *Fouquet's*, non pas dans la salle du premier étage, comme quand je suis avec Carus, mais au rez-de-chaussée, à une petite table... Mercredi... Mercredi, je n'ai pas dîné, c'est tout simple...

« Il faut vous dire qu'en dehors d'un petit déjeuner léger, je ne fais d'habitude qu'un repas par jour... Si je déjeune, je ne dîne pas... Et, si je dîne, bien entendu, c'est que je n'ai pas déjeuné... Mercredi, nous avons déjeuné au *Berkeley* avec des amis...

« L'après-midi, je suis allée à un essayage, à deux pas d'ici... Ensuite, j'ai pris un verre chez *Jean*, rue Marbœuf... Il devait être environ neuf heures quand je suis rentrée... »

— Vous êtes montée directement dans votre appartement ?

— C'est exact... J'ai lu jusqu'à une heure du matin, car je ne peux m'endormir de bonne heure... Auparavant, j'avais regardé la télévision...

Il y avait un poste dans un coin du salon.

— Ne me demandez pas quel était le programme... Tout ce que je sais, c'est qu'on voyait de jeunes chanteurs et chanteuses... Vous êtes satisfait ?... Vous ne voulez pas que j'appelle le garçon d'étage ?... Il est vrai que ce n'est pas le même... Mais, ce soir, vous pourrez interroger le garçon de nuit...

— Vous lui avez commandé quelque chose?

— Un quart champagne...

— A quelle heure?

— Je ne sais pas... Peu avant ma toilette de nuit... Vous me soupçonnez de m'être rendue rue Saint-Charles et d'avoir abattu cette pauvre Sophie?

— Je ne soupçonne personne. Je fais mon métier en m'efforçant d'être aussi peu importun que possible. Hier soir, vous nous avez parlé de Sophie Ricain dans des termes qui supposent peu de sympathie entre vous.

— Je n'ai pas essayé de le cacher...

— Il a été question d'une soirée ici, au cours de laquelle vous l'avez trouvée entre les bras de votre mari...

— Je n'aurais pas dû en parler... C'était pour vous montrer qu'elle s'en prenait à tous les hommes, que ce n'était pas la petite oie blanche ou l'amoureuse farouche de Francis que certains vous ont sans doute dépeintes...

— A qui pensez-vous?

— Je ne sais pas... Les hommes ont tendance à se laisser prendre à ces sortes de simagrées... Pour la plupart de ceux que nous fréquentons, je dois passer pour une femme froide, ambitieuse, calculatrice... Avouez-le!...

— Personne ne m'a parlé de vous en ces termes...

— Je suis sûre que c'est ce qu'ils pensent... Même un garçon comme Bob, qui devrait avoir plus d'expérience... La petite Sophie, au contraire, douce et résignée, devient une amoureuse incomprise... Pensez-en ce que vous voudrez... Je vous ai dit la vérité...

— Carus était son amant?

— Qui prétend ça?

— Vous m'avez dit que vous les aviez surpris...

— J'ai dit qu'elle s'était coulée dans ses bras, qu'elle pleurnichait pour se faire plaindre, mais je n'ai pas prétendu que Carus était son amant...

— Les autres l'ont tous été, non? C'est bien ce que je dois comprendre?

— Questionnez-les... On verra s'ils osent vous mentir...

— Et Ricain...

— Vous me mettez dans une position difficile... Ce n'est pas à moi de porter des jugements définitifs sur les gens que nous rencontrons et qui ne sont pas nécessairement des amis... Vous ai-je dit que Francis le savait?... C'est possible... Je ne m'en souviens pas... J'ai l'habitude de parler franchement, sur l'impulsion du moment...

« Carus s'est entiché de ce garçon, à qui il prédit un avenir mirobolant... Moi, je le considère comme un malin qui joue les artistes... Choisissez... »

Maigret se levait, tirait sa pipe de sa poche.

— C'est tout ce que je voulais vous demander. Ah? Une petite question. Sophie avait commencé une grossesse, voilà environ un an,

— Je sais...

— Elle vous en a parlé?

— Elle était enceinte de deux ou trois mois, j'ai oublié... Francis ne voulait pas d'enfant, à cause de sa carrière... Alors, elle m'a demandé si je connaissais une adresse... On lui avait parlé de la Suisse, mais elle hésitait à entreprendre le voyage...

— Vous avez pu l'aider?

— Je lui ai répondu que je ne connaissais personne... Je ne tenais pas à ce que Carus et moi soyons mêlés à une histoire de ce genre...

— Comment s'est-elle terminée?

— Bien, sans doute, à son point de vue, puis-qu'elle n'en a plus parlé et qu'elle n'a pas eu d'en-fant...

— Je vous remercie.

— Vous n'êtes pas passé au bureau de Carus?

Maigret répondit à la question par une autre question :

— Il ne vous a pas téléphoné?

Il était sûr, ainsi, qu'une fois seule la jeune femme allait appeler la rue de Bassano.

— Merci, Gaston... dit-il en passant devant le concierge.

Sur le trottoir, il respira profondément.

— Si cela se termine par une confrontation géné-rale, celle-ci promet d'être mouvementée.

Comme pour se nettoyer la bouche, il alla boire un vin blanc dans le premier bar venu. Il en avait envie depuis le matin, depuis la rue Saint-Louis-en-l'Ile, et la bière de Carus ne lui avait pas enlevé cette envie.

— Au Quai, mon petit Lapointe. Je suis cu-rieux de voir dans quel état nous alons trouver notre Francis.

Il n'était pas dans la cage de verre, où on ne voyait qu'une vieille femme en compagnie d'un tout jeune homme au nez cassé. Dans son bureau, il trouva Janvier qui lui désigna, sur une chaise, un Ricain rageur.

— J'ai dû le faire entrer ici, patron. Il menait grand bruit dans le couloir, exigeant que l'huis-sier l'introduise tout de suite chez le directeur, menaçant d'alerter les journaux...

— C'est mon droit!... râla le jeune homme. J'en ai assez d'être traité comme un imbécile ou comme un malfaiteur... Ma femme est tuée et c'est moi qu'on surveille, comme si je cherchais à m'enfuir...

On ne me laisse pas une minute de tranquillité et...

— Vous désirez un avocat?

Francis le regarda dans les yeux, hésitant, de la haine dans les prunelles.

— Vous... vous...

Sa colère l'empêchait de trouver les mots.

— Vous prenez des airs paternels... Vous devez vous admirer d'être si bon, si patient, si compréhensif... Je le croyais aussi... Je constate à présent que tout ce qu'on raconte sur vous est de la foutaise...

Il s'emballait, les mots se pressaient, son débit devenait de plus en plus rapide.

— Combien les payez-vous, les journalistes, pour qu'ils vous encensent?... Pauvre imbécile que j'ai été... Quand j'ai vu votre nom dans le portefeuille, je me suis imaginé que j'étais sauvé, que j'avais trouvé enfin quelqu'un qui comprendrait...

« Je vous ai appelé... Car, sans mon coup de téléphone, vous ne m'auriez pas retrouvé... J'aurais pu, avec votre argent... Quand je pense que je n'en ai même pas pris de quoi m'acheter à manger...

« Résultat, vous me bouclez dans une chambre d'hôtel miteuse... Avec un inspecteur en faction sur le trottoir...

« Puis vous m'enfermez dans votre trappe à rats et vos hommes viennent de temps en temps me contempler à travers la vitre... J'en ai compté au moins douze qui se sont ainsi payé la tête du phénomène...

« Tout ça, parce que ma femme a été tuée en mon absence et que la police n'est pas capable de protéger les citoyens... Parce qu'ensuite, au lieu de chercher le vrai coupable, elle s'en prend au suspect tout désigné, le mari qui a le malheur de s'affoler... »

Maigret tirait lentement sur sa pipe, face au Francis déchaîné qui, debout, gesticulait au milieu de la pièce, les poings serrés.

— Vous avez fini?

Il posait la question d'une voix tranquille, sans impatience, sans ironie.

— Vous désirez toujours appeler un avocat?

— Je suis capable de me défendre seul... Il faudra bien, à un moment donné, que vous reconnaissiez votre erreur et que vous me relâchiez...

— Vous êtes libre.

— Vous voulez dire?...

Sa fièvre tombait soudain et il restait là, les bras ballants, à regarder le commissaire d'un air incrédule.

— Vous avez toujours été libre, vous le savez bien. Si je vous ai procuré un abri, la nuit dernière, c'est que vous étiez sans argent et que, je le suppose, vous ne désiriez pas dormir dans le studio de la rue Saint-Charles.

Maigret avait tiré son portefeuille de sa poche, ce même portefeuille que Francis lui avait volé sur la plate-forme de l'autobus. Il y prenait deux billets de dix francs.

— Voici de quoi manger un morceau et regagner le quartier de Grenelle. Un de vos amis vous prêtera bien un peu d'argent pour parer au plus pressé. Je vous signale que j'ai fait télégraphier aux parents de votre femme, à Concarneau, et que le père arrivera ce soir à Paris. J'ignore s'il prendra contact avec vous. Je ne l'ai pas eu moi-même au téléphone, mais il semble qu'il voudrait emmener le corps de sa fille en Bretagne.

Ricain ne parlait plus de partir. Il essayait de comprendre.

— Bien entendu, vous êtes le mari et c'est à vous de décider.

— Que me conseillez-vous de faire?

— Les funérailles coûtent cher. Je ne pense pas que vous aurez souvent le temps de vous rendre au cimetière. Si donc la famille y tient...

— Il faudra que j'y réfléchisse...

Maigret avait ouvert la porte de son placard, où il gardait toujours une bouteille de cognac et des verres, précaution qui s'était souvent avérée utile.

Il ne remplit qu'un verre, le tendit au jeune homme.

— Buvez.

— Et vous?

— Merci.

Francis but le cognac d'un trait.

— Pourquoi me donnez-vous de l'alcool?...

— Pour vous remettre d'aplomb.

— Je suppose que je serai suivi?

— Même pas! A condition que vous me disiez où je peux vous toucher. Vous comptez rentrer rue Saint-Charles?

— Où irais-je?

— Un de mes inspecteurs y est à présent. A propos, hier soir, le téléphone a sonné par deux fois dans le studio. L'inspecteur a décroché et, les deux fois, personne ne lui a parlé.

— Cela ne pouvait pas être moi, puisque...

— Je ne vous demande pas si c'était vous. Quelqu'un a appelé votre studio. Quelqu'un qui n'avait peut-être pas lu le journal. Ce que je me demande, c'est si cet homme ou cette femme s'attendait à entendre votre voix ou celle de votre femme.

— Je n'en sais rien...

— Cela ne vous est jamais arrivé de décrocher et de n'entendre qu'une respiration?

— Vous avez une arrière-pensée?

— Supposez qu'on vous ait cru absent, qu'on ait voulu parler à Sophie.

— Encore? Que vous ont-ils donc raconté, tous ceux que vous avez questionnés hier soir et ce matin? Quels sales ragots essayez-vous de.. de...

— Une question, Francis.

Celui-ci tressaillit, surpris de s'entendre appeler ainsi.

— Qu'avez-vous fait, il y a environ un an, quand vous avez appris que Sophie était enceinte?

— Elle n'a jamais été enceinte...

— Le rapport médical est arrivé, Janvier?

— Le voici, patron... Delaplanque vient de le faire porter...

Maigret le parcourait des yeux.

— Tenez! Vous verrez que je ne prétends rien, que je me réfère simplement à des constatations médicales.

Ricain le regardait à nouveau sauvagement.

— Mais qu'est-ce que c'est, mon Dieu, que toute cette histoire? On dirait que vous avez juré de me rendre fou... Tantôt on m'accuse d'avoir tué ma femme et tantôt...

— Je ne vous ai jamais accusé.

— C'est tout comme... Vous insinuez... Puis, pour me calmer...

Il saisit le verre qui avait contenu le cognac, le lança violemment sur le plancher.

— Je devrais mieux connaître tous vos trucs!... Un beau film que ça ferait, oui... Mais la Préfecture aurait bien soin d'interdire... Ainsi, Sophie a été enceinte il y a un an?... Et, naturellement, comme nous n'avons pas d'enfants, je suppose que nous nous sommes adressés à une faiseuse d'anges... C'est ça?... C'est la nouvelle accusation qu'on a trouvée contre moi, faute de pouvoir en soutenir une autre?...

— Je n'ai pas prétendu que vous étiez au courant. Je vous ai demandé si votre femme vous en avait parlé. En réalité, elle s'est adressée à quelqu'un d'autre.

— Parce que cela regardait quelqu'un d'autre que moi, son mari?

— Elle a voulu vous éviter des tracas, peut-être un drame de conscience. Elle se figurait qu'un enfant, à ce point de votre carrière, serait pour vous un handicap.

— Et alors?

— Elle s'est confiée à un de vos amis.

— Mais qui, bon sang?

— Carus.

— Hein? Vous voulez me faire croire que c'est à Carus...

— Il me l'a affirmé ce matin. Nora me l'a confirmé une demi-heure plus tard, à une différence près, toutefois. D'après elle, Sophie n'était pas seule quand elle a parlé de sa maternité. Vous étiez tous les deux.

— Elle a menti...

— C'est possible.

— Vous la croyez?

— Pour le moment, je ne crois personne.

— Moi non plus?

— Vous non plus, Francis. Vous n'en êtes pas moins libre.

Et Maigret allumait sa pipe, s'asseyait devant son bureau, feuilletait un dossier.

CHAPITRE

6

Ricain était parti, hésitant, maladroit, comme un oiseau qui se méfie de voir sa cage ouverte, et Janvier avait regardé son patron d'un air interrogateur. Le lâchait-on vraiment dans la nature, sans surveillance?

Maigret, feignant de ne pas comprendre cette question muette, continuait à feuilleter son dossier, se levait enfin en soupirant et allait se camper devant la fenêtre.

Il était maussade. Janvier avait regagné le bureau des inspecteurs où il échangeait à voix basse des impressions avec Lapointe quand le commissaire entra. Les deux hommes, d'instinct, s'écartèrent l'un de l'autre mais c'était inutile. Maigret ne semblait pas les voir.

Il allait et venait d'un bureau à l'autre comme s'il ne savait que faire de son corps lourd, s'arrêtant devant une machine à écrire, un appareil téléphonique ou une chaise vide, changeant, sans raison, une feuille de papier de place.

Il finit par grommeler :

— Qu'on avertisse ma femme que je ne rentre-
rai pas déjeuner.

Il ne l'appelait pas lui-même, ce qui était un
signe. Personne n'osait parler, encore moins le
questionner. Dans le bureau des inspecteurs, tout
le monde était en suspens, il le sentait et, haus-
sant les épaules, il rentra dans son bureau et décrocha son chapeau.

Il ne dit rien, ni où il allait, ni quand il reviendrait, ne laissa aucune instruction, comme si,
tout à coup, il se désintéressait de cette affaire.

Dans le grand escalier poussiéreux, il vida sa pipe
en la frappant à petits coups contre son talon,
puis il traversa la cour, salua vaguement le fac-
tionnaire et se dirigea vers la place Dauphine.

Peut-être n'était-ce pas là qu'il aurait voulu se
rendre. Son esprit était ailleurs, dans ce quartier
qui lui était peu familier, boulevard de Grenelle,
rue Saint-Charles, avenue de La-Motte-Picquet.

Il revoyait la barre sombre du métro aérien qui
coupait le ciel en diagonale, croyait entendre le
roulement sourd des wagons... L'atmosphère feu-
trée, un peu sirupeuse, du *Vieux-Pressoir*, l'enjouement de Rose qui s'essuyait sans cesse les mains à
son tablier, le visage de cire de l'ancien cascadeur au sourire ironique...

Maki, énorme et doux dans son coin, l'œil plus
trouble et plus vague à mesure qu'il buvait... Gérard Dramin, le visage ascétique, corrigeant inter-
minablement un scénario... Carus qui se donnait tant de mal pour se montrer cordial avec
chacun et Nora, artificielle du bout des ongles à
ses cheveux déteints...

On aurait dit que ses pas le conduisaient à son
insu, par la force de l'habitude, à la brasserie
Dauphine et il saluait machinalement le patron,

reniflait la chaude odeur du restaurant, se dirigeait
vers son coin où il s'était assis des milliers de
fois sur la banquette.

— Il y a de l'andouillette, monsieur le Commissaire.

— Avec de la purée?

— Et avant ça?

— N'importe quoi. Une carafe de sancerre.

Son collègue des Renseignements généraux déjeu-
nait dans un autre coin en compagnie d'un fonctionnaire de l'Intérieur que Maigret ne connaissait
que de vue. Les autres clients étaient presque tous
des habitués, des avocats qui ne tarderaient pas à
traverser la place pour aller plaider, un juge d'instruction, un inspecteur des Jeux.

Le patron comprit, lui aussi, que ce n'était pas
le moment d'engager la conversation et Maigret
mangea lentement, l'air appliqué, comme si c'était
un acte important.

Une demi-heure plus tard, il faisait le tour du
Palais de Justice, les mains derrière le dos, à pas
lents, sans s'intéresser à rien en particulier, comme
un solitaire qui promène son chien, et enfin il
se retrouva dans l'escalier, poussa la porte de son
bureau.

Une note de Gastinne-Renette l'attendait. Ce
n'était pas encore le rapport définitif. Le pistolet
retrouvé dans la Seine était bien l'arme qui avait
tiré la balle de la rue Saint-Charles.

Il haussa les épaules une fois de plus, car il
le savait d'avance. Par moments, il se sentait sub-
mergé par toutes ces questions secondaires, par
ces rapports, ces coups de téléphone, ces allées et
venues de routine.

Joseph, le vieil huissier, gratta à la porte, entra, comme d'habitude, sans attendre la réponse.

— Il y a un monsieur...

Maigret tendait la main, jetait un coup d'œil sur la fiche :

— Fais entrer.

L'homme était vêtu de noir, ce qui faisait ressortir son teint coloré et le toupet de cheveux gris se dressant sur sa tête.

— Asseyez-vous, monsieur Le Gal. Je vous présente mes condoléances...

L'homme avait eu le temps de pleurer dans le train et il semblait que, pour se donner du courage, il avait bu plusieurs petits verres. Son regard était flou, sa parole difficile.

— Qu'est-ce qu'on a fait d'elle?... Je n'ai pas voulu me rendre à son adresse, par crainte de rencontrer cet homme, car je crois que je l'étranglerais de mes propres mains...

Combien de fois Maigret avait-il été témoin des mêmes réactions de la part des familles?

— De toute façon, monsieur Le Gal, le corps n'est plus rue Saint-Charles, mais à l'Institut médico-légal...

— Où est-ce?

— Près du pont d'Austerlitz sur le quai. Je vous y ferai conduire, car il est indispensable que vous reconnaissiez officiellement votre fille.

— Elle a souffert?

Il serrait les poings, mais sans conviction. On sentait que son énergie, au long des kilomètres, s'était évaporée, sa colère aussi, de sorte que, la tête vide, il ne faisait que répéter des mots auxquels il ne croyait plus.

— J'espère que vous l'avez arrêté?

— Il n'y a pas de preuves contre son mari.

— Mais, commissaire, dès le jour où elle est venue nous parler de cet homme, j'ai prédit que cela tournerait mal...

— Elle vous l'a amené?

— Je ne l'ai jamais vu... Je ne le connais que par une mauvaise photographie... Elle n'avait aucune envie de nous le présenter... Dès qu'elle l'a rencontré, la famille a cessé d'exister pour elle...

« Tout ce qu'elle voulait, c'était se marier au plus vite... Elle avait même préparé la lettre de consentement que je devais signer... Sa mère voulait m'en empêcher... J'ai fini par céder, si bien que je me considère un peu comme responsable de ce qui est arrivé... »

Ne retrouvait-on pas dans chaque affaire, ce côté à la fois émouvant et sordide ?

— C'était votre enfant unique ?

— Nous avons heureusement un fils de quinze ans...

Au fond, Sophie avait déjà disparu depuis long-temps de leur vie.

— Pourrai-je emporter le corps à Concarneau ?

— En ce qui nous concerne, les formalités sont terminées.

Il avait dit « formalités ».

— On l'a... Je veux dire qu'il y a eu une...

— Une autopsie, oui, oui. Pour le transport, je vous conseille de vous adresser à une entreprise de pompes funèbres qui s'occupera des démarches.

— Et lui ?

— Je lui en ai parlé. Il ne s'oppose pas à ce qu'elle soit inhumée à Concarneau.

— J'espère qu'il n'a pas l'intention d'y venir ?... Parce que, dans ce cas, je ne réponds de rien... Certains, dans le pays, pourraient avoir moins de sang-froid que moi et...

— Je sais. Je ferai en sorte qu'il reste à Paris.

— C'est lui, n'est-ce pas ?

— Je vous affirme que je l'ignore.

— Qui d'autre l'aurait tuée ? Elle ne voyait que par lui. Il l'avait littéralement hypnotisée. Depuis son mariage, elle ne nous a pas écrit trois fois et elle ne se donnait pas la peine de nous envoyer des vœux de nouvel an...

« C'est par les journaux que j'ai connu sa nouvelle adresse... Je la croyais encore dans le petit hôtel de la rue Montmartre où ils ont vécu après leur mariage... Un drôle de mariage, sans parents, sans amis!... Vous croyez que cela peut porter bonheur, vous?... »

Maigret écouta jusqu'au bout, hochant la tête, compatissant, puis il referma la porte derrière son visiteur dont l'haleine était lourde d'alcool.

Et le père de Ricain? N'allait-il pas se manifester à son tour? Le commissaire s'y attendait. Il avait envoyé un inspecteur à Orly, un autre au *Raphaël* pour photographier la page du registre que le concierge lui avait montrée.

— Ce sont deux journalistes, monsieur le Commissaire...

— Dis-leur de s'adresser à Janvier.

Celui-ci entrait un peu plus tard.

— Qu'est-ce que je leur raconte?

— N'importe quoi. Que l'enquête suit son cours.

— Ils croyaient trouver Ricain ici et ils ont amené un photographe.

— Qu'ils cherchent. Qu'ils aillent sonner rue Saint-Charles s'ils en ont envie.

Il suivait pesamment le cours de sa pensée, ou plutôt de pensées différentes, contradictoires. Avait-il eu raison de rendre la liberté à Francis, dans l'état de surexcitation où il était?

Il n'irait pas loin avec les vingt francs que le commissaire lui avait donnés. Il devrait recommencer la course à l'argent, frapper aux portes, faire le tour de ses amis.

— Ce n'est quand même pas ma faute si...

On aurait pu croire que Maigret avait mauvaise

conscience, qu'il avait quelque chose à se reprocher.
Sans cesse il reprenait l'affaire à son début, tout
au début, c'est-à-dire sur la plate-forme de l'autobus.

Il revoyait la femme au visage vide dont le filet à provisions lui heurtait les jambes. Un poulet,
du beurre, des œufs, des poireaux, du céleri en
branches. Il s'était demandé pourquoi elle allait
faire son marché si loin de chez elle.

Un jeune homme fumait une pipe trop courte et
trop grosse. Ses cheveux blonds étaient aussi clairs
que les cheveux décolorés de Nora.

A ce moment-là, il ne connaissait pas encore la
maîtresse de Carus, qui, au *Raphaël* comme ailleurs
se faisait passer pour sa femme.

Il avait perdu un instant l'équilibre et quelqu'un avait retiré délicatement son portefeuille de
sa poche.

Il aurait voulu disséquer en quelque sorte cet
instant-là, qui lui paraissait le plus important. L'inconnu descendant de l'autobus en marche, rue du
Temple et se précipitant, en zigzaguant parmi les
ménagères, vers les ruelles étroites du Marais...

Son image était nette dans la mémoire du commissaire. Il était sûr qu'il le reconnaîtrait, car son
voleur, s'était retourné...

Pourquoi s'était-il retourné? Et pourquoi, décou-
vrant l'identité de Maigret grâce au contenu du
portefeuille, avait-il mis celui-ci dans une enveloppe
brune et l'avait-il renvoyé à son propriétaire?

A cette heure-là, à l'heure du vol, il se croyait
traqué... Il était persuadé qu'on l'accuserait du
meurtre de sa femme et qu'on allait l'enfermer...
Il avait donné une curieuse raison à sa volonté de
ne pas se laisser arrêter... La claustrophobie...

C'était la première fois, en trente ans de carrière,
qu'il entendait un suspect expliquer ainsi sa fuite

A la réflexion, pourtant, Maigret était bien obligé d'admettre que c'était peut-être parfois le cas. Lui-même ne prenait le métro que quand il ne pouvait faire autrement car il y étouffait.

Et d'où venait sa manie, dans son bureau, de se lever à tout moment pour aller se camper devant la fenêtre?

On lui reprochait parfois, surtout ces messieurs du Parquet, d'assumer en personne des tâches qui incombaient aux inspecteurs, d'aller sur place interroger des témoins au lieu de les convoquer, de retourner sans raison sérieuse sur les lieux, voire de se charger de certaines planques, sous le soleil ou sous la pluie.

Il aimait bien son bureau, mais il n'y était pas de deux heures qu'il éprouvait le besoin de s'en échapper. Au cours d'une enquête, il aurait voulu être partout à la fois.

Bob Mandille, à cette heure, devait faire la sieste, car le *Vieux-Pressoir* fermait tard dans la nuit. Rose faisait-elle la sieste aussi? Que lui aurait-elle dit, s'ils avaient été a assis en tête à tête à une table du restaurant désert?

Ils avaient tous une opinion différente sur Ricain et Sophie. A quelques heures de distance, certains n'hésitaient même pas à exprimer des sentiments contradictoires, comme Carus.

Qu'était Sophie? Une de ces gamines qui se jettent à la tête de tous les hommes? Une ambitieuse qui avait cru qu'un Francis lui ferait connaître l'existence des vedettes de cinéma?

Elle retrouvait le producteur dans une garçonnière de la rue François-Ier. Si Carus disait la vérité, bien entendu.

On avait parlé de la jalousie de Ricain qui ne quittait pratiquement pas sa femme. Par contre, il n'hésitait pas à emprunter de l'argent à son amant.

Le savait-il? Fermait-il les yeux?

— Faites entrer...

Il l'avait prévu. C'était le père. Celui de Ricain, cette fois, un homme grand et fort, à l'allure encore jeune malgré les cheveux gris fer qu'il portait en brosse.

— J'ai hésité à venir...

— Asseyez-vous, monsieur Ricain.

— Il est ici?

— Non. Il y était ce matin, mais il est reparti.

L'homme avait les traits durement dessinés, les yeux clairs, une expression réfléchie.

— Je serais bien venu plus tôt, mais je conduisais le Vintimille-Paris...

— Quand avez-vous vu Francis pour la dernière fois?

Il répéta, surpris :

— Francis?

— C'est ainsi que la plupart de ses amis l'appellent.

— Chez nous, on disait François... Attendez... Il est venu me voir un peu avant le dernier Noël...

— Vous aviez gardé de bons rapports?

— Je le rencontrais si rarement!

— Et sa femme?

— Il me l'a présentée quelques jours avant son mariage.

— Quel âge avait-il quand sa mère est morte?

— Quinze ans... C'était un bon garçon, mais il se montrait déjà difficile et il ne supportait pas la contradiction... C'était inutile de l'empêcher de faire à son idée... J'aurais voulu qu'il entre aux chemins de fer... Pas nécessairement comme ouvrier... Il aurait pu obtenir une bonne place dans les bureaux...

— Pourquoi est-il allé vous voir avant Noël?

— Pour me demander de l'argent, bien sûr...

Il n'est jamais venu que pour ça... Il n'avait pas
de vrai métier... Il écrivaillait en prétendant qu'un
jour il serait célèbre.

« J'ai fait de mon mieux... Je ne pouvais quand
même pas l'attacher... Je restais souvent trois jours
absent... Ce n'était pas gai pour lui de rentrer
dans un logement vide et de préparer ses repas...
Qu'est-ce que vous pensez, vous, monsieur le Commissaire ?...

— Je ne sais pas.

L'homme se montrait surpris. Qu'un haut fonctionnaire de la police n'ait pas une opinion défini-
tive dépassait son entendement.

— Vous ne le croyez pas coupable ?

— Jusqu'à présent, rien ne le prouve, comme
rien ne prouve le contraire.

— Vous pensez que cette femme a été bonne
pour lui ?... Elle ne s'est pas donné la peine, quand
il me l'a présentée, de passer une robe ; elle est
venue en pantalon, avec des souliers qui étaient
plutôt des savates... Elle n'était même pas pei-
gnée... Il est vrai qu'on en voit d'autres comme ça
dans les rues...

Il y eut un assez long silence pendant lequel
M. Ricain jeta de petits coups d'œil hésitants
au commissaire. Enfin, il tira un portefeuille usé
de sa poche, y prit plusieurs billets de cent francs.

— Il vaut mieux que je n'aille pas le voir...
S'il a envie de me rencontrer, il sait où j'habite...
Je suppose qu'il est encore sans argent... Il peut
en avoir besoin pour se payer un bon avocat...

Une pause. Une question.

— Vous avez des enfants, monsieur le Commissaire ?

— Malheureusement pas.

— Il ne faut pas qu'il se sente abandonné...
Quoi qu'il ait fait, s'il a fait quelque chose de mal.

il n'en est pas responsable... Dites-lui que c'est ce que je pense... Dites-lui qu'il peut venir à la maison quand il voudra... Je ne l'y oblige pas... Je comprends.

Maigret, ému, regardait les billets qu'une main large, calleuse, aux ongles carrés, poussait sur le bureau.

— Enfin... soupira le père en se levant et en triturant son chapeau. Si je vous comprends bien, je peux encore espérer qu'il est innocent... Voyez-vous, j'en ai la conviction... Le journal a beau dire, je ne parviens pas à sentir qu'il a fait une chose pareille...

Le commissaire le reconduisit, serrait la main qui se tendait, hésitante.

— Je garde de l'espoir?

— Il ne faut jamais désespérer.

Une fois seul, il faillit appeler le docteur Pardon. Il aurait aimé bavarder avec lui, lui poser un certain nombre de questions. Pardon n'était pas psychiatre, certes. Ce n'était pas non plus un psychologue professionnel.

Mais, dans sa carrière de médecin de quartier, il en avait vu de toutes sortes et souvent ses avis avaient consolidé Maigret dans ses opinions.

Pardon, à cette heure, était dans son cabinet, une vingtaine de patients alignés dans la salle d'attente. Ce n'est que la semaine suivante qu'aurait lieu leur dîner mensuel.

C'était curieux : il avait tout à coup, sans raison précise, une impression pénible de solitude.

Il n'était qu'un élément dans la machinerie compliquée de la Justice et il disposait de spécialistes, d'inspecteurs, du téléphone, du télégraphe, de toutes les collaborations désirables ; au-dessus de lui, il y avait le Parquet, le juge d'instruction et, en der-

nier ressort, les magistrats et les jurés de la
cour d'assises.

Pourquoi, dès lors, se sentait-il responsable? Il
lui semblait que c'était de lui que dépendait le
sort d'un être humain, il ignorait encore lequel,
celui ou celle qui avait pris le pistolet dans le tiroir de la commode peinte en blanc et qui avait
tiré sur Sophie.

Un détail l'avait frappé, dès le début, qu'il
n'était pas encore parvenu à expliquer. Il est rare
qu'au cours d'une dispute, ou dans un moment
d'émotion, quelqu'un vise la tête.

Le réflexe, même en cas de défense, est de tirer
à la poitrine et seuls les professionnels tirent au
ventre, sachant qu'on s'en remet rarement.

A une distance d'un mètre environ, le meurtrier
avait visé la tête... Pour faire croire à un suicide?

Non, puisqu'il avait laissé l'arme dans le studio...
Tout au moins à en croire Ricain...

Le couple rentrait, vers dix heures... Il avait
besoin d'argent... Contrairement à son habitude,
Francis laissait sa femme rue Saint-Charles pendant qu'il se mettait en quête de Carus ou d'un
autre ami susceptible de lui prêter deux mille
francs...

Pourquoi avoir attendu cette nuit-là si l'argent
devait être versé le lendemain matin?

Il retournait au *Vieux-Pressoir*, entrouvrait la
porte pour voir si le producteur était arrivé...

A cette heure-là, Carus était déjà à Francfort,
on était en train de le vérifier à Orly. Il n'avait annoncé son voyage ni à Bob ni à aucun autre mem-
bre de la petite bande...

Nora, par contre, était à Paris... Pas dans son
appartement du *Raphaël*, comme elle l'avait prétendu le matin, car le registre du concierge la
contredisait...

Pourquoi avait-elle menti ? Carus savait-il qu'elle était absente de l'hôtel ? Ne lui avait-il pas téléphoné, une fois à Francfort ?...

Le téléphone sonnait.

— Allô... Le docteur Delaplanque... Je vous le passe ?...

— S'il vous plaît... Allô !...

— Maigret ?... Je m'excuse de vous déranger, mais quelque chose me tracasse depuis ce matin... Si je n'en parle pas dans mon rapport, c'est que c'est assez vague... Au cours de l'autopsie, j'ai relevé des traces légères sur les poignets de la morte, comme si on les avait serrés avec une certaine violence... Ce ne sont pas des ecchymoses à proprement parler...

— J'écoute.

— C'est tout... Si je ne prétends pas qu'il y a eu lutte, je n'en serais pas surpris... Je vois assez bien l'agresseur saisir la victime par les poignets et la pousser... Elle a pu tomber sur le divan, se redresser, et c'est au moment où elle n'était pas encore tout à fait debout qu'on aurait tiré... Cela expliquerait que la balle ait été retirée du mur à un mètre vingt à peu près du sol alors que, si la jeune femme avait été debout...

— Je comprends. Les meurtrissures sont très légères ?

— Une seule trace est un peu plus nette que les autres... Cela pourrait être celle d'un pouce, mais je ne peux rien affirmer. C'est pourquoi il m'est impossible d'en faire état officiellement... Voyez s'il y a quelque chose à en tirer...

— Au point où j'en suis, je dois tirer parti de tout. Merci, docteur.

Janvier, silencieux, se tenait dans l'encadrement de la porte.

-:-

Il était revenu dans le quartier, seul cette fois, l'air buté, comme si c'était une affaire entre Grenelle et lui. Il s'était promené au bord de la Seine, s'était arrêté quarante mètres en amont du pont de Bir-Hakeim, là où le pistolet avait été jeté et retiré de la Seine, puis il s'était dirigé vers le grand immeuble neuf du boulevard de Grenelle.

Il avait fini par y pénétrer, par frapper à la loge vitrée de la concierge. Elle était jeune, avenante, et disposait d'un petit salon bien éclairé.

Après lui avoir montré sa médaille il demanda :

— C'est vous qui êtes chargée de toucher les loyers ?

— Oui, monsieur le Commissaire.

— Bien entendu, vous connaissez François Ricain ?

— Ils habitent dans la cour et passent rarement ici... Je veux dire passaient... Enfin, lui, on m'a dit qu'il est revenu... Mais elle... Je les connaissais, bien sûr, et ce n'était pas agréable de leur réclamer sans cesse leur argent... En janvier, ils ont demandé un délai d'un mois, puis, le 15 février un nouveau délai... Le propriétaire a décidé de les mettre à la porte si le 15 mars ils ne payaient pas les deux trimestres en retard...

— Ils ne l'ont pas fait ?

— C'était avant-hier, le 15...

Le mercredi...

— Vous ne vous êtes pas inquiétée de ne pas les voir ?

— Je ne m'attendais pas à ce qu'ils payent... Le matin, il n'est pas venu retirer son courrier et je me suis dit qu'il préférait de pas me rencontrer... Ils recevaient d'ailleurs peu de lettres... Surtout des prospectus et des revues auxquelles il était abonné...

L'après-midi, je suis allée frapper à leur porte et personne n'a répondu...

« Le jeudi matin, j'ai frappé à nouveau et, comme on ne répondait toujours pas, j'ai demandé à une locataire si elle n'avait rien entendu... J'ai même pensé qu'ils avaient peut-être déménagé à la cloche de bois... Pour eux, c'est facile, à cause du portail qui reste toujours ouvert rue Saint-Charles...

— Que pensez-vous de Ricain ?

— Je n'y prêtais guère attention... De temps en temps des locataires se plaignaient parce qu'ils avaient fait de la musique ou reçu des amis jusqu'aux petites heures, mais d'autres ne s'en privent pas dans l'immeuble, surtout les jeunes... Il avait l'air d'un artiste...

— Et elle ?

— Que voulez-vous que je dise ? Ils tiraient le diable par la queue.... Ce n'est pas une drôle de vie... On est sûr qu'elle ne s'est pas suicidée !...

Il n'apprenait rien de nouveau, ne cherchait pas trop à apprendre. Il rôdait, regardait les rues autour de lui, les maisons, les fenêtres ouvertes, l'intérieur des boutiques.

A sept heures, il poussait la porte du *Vieux-Pressoir* et il fut presque déçu de ne pas voir Fernande perchée sur son tabouret.

Bob Mandille, à une table, lisait le journal du soir, tandis que le garçon achevait la mise en place, posait sur chaque nappe à carreaux une flûte de cristal contenant une rose.

— Tiens !... Le commissaire...

Bob se levait, venait serrer la main de Maigret.

— Alors ? Qu'avez-vous découvert ?... Les journalistes ne sont pas contents... Ils prétendent qu'on fait des mystères autour de cette affaire et qu'on les tient à l'écart...

— Simplement parce que nous n'avons rien à leur dire.

— C'est vrai que vous avez relâché Francis?

— Il n'a jamais été incarcéré et il est libre de ses mouvements. Qui vous a parlé?

— Huguet, le photographe, qui habite le même immeuble, au quatrième. C'est celui qui a déjà deux femmes et qui a fait un enfant à une troisième... Il a aperçu Francis dans la cour au moment où il rentrait chez lui... Cela m'étonne qu'il ne soit pas venu me voir... Dites donc, a-t-il de l'argent?...

— Je lui ai donné vingt francs pour manger un morceau et prendre l'autobus...

— Dans ce cas, il ne tardera pas à venir... A moins qu'il ne soit passé par son journal et que, par miracle, il n'y ait eu de l'argent dans la caisse... Cela arrive de temps en temps...

— Vous n'avez pas vu Nora, mercredi soir?

— Elle n'est pas venue, non... Je ne me souviens d'ailleurs pas de l'avoir vue sans Carus.... Il était en voyage...

— En Allemagne, oui. Elle est sortie seule. Je me demande où elle a pu aller.

— Elle ne vous l'a pas dit?

— Elle prétend être rentrée au *Raphaël* vers neuf heures.

— Ce n'est pas vrai?

— Le registre du concierge indique qu'il était plus d'onze heures.

— Curieux...

Bob avait son mince sourire ironique qui mettait comme une craquelure dans son visage figé.

— Cela vous amuse?

— Avouez que Carus ne l'aurait pas volé!... Il profite sans se gêner de toutes les occasions... Ce

serait drôle si Nora, de son côté... Pourtant, je ne
crois pas ça d'elle...

— Parce qu'elle l'aime?

— Non, parce qu'elle est trop intelligente et
trop froide. Elle ne risquerait pas de tout perdre,
alors qu'elle est si près du but, pour une aventure,
fût-ce avec le plus séduisant des hommes.

— Elle était peut-être moins près du but que
vous ne le pensez...

— Que voulez-vous dire?

— Carus retrouvait régulièrement Sophie dans
un appartement de la rue François-Ier loué à cette
intention.

— C'était si sérieux?

— Il le prétend. Il prétend même qu'elle avait
l'étoffe d'une vedette et qu'elle n'aurait pas tardé
à en devenir une.

— Vous parlez sérieusement? Carus qui... Mais
c'était une gamine comme on en trouve treize à la
douzaine... Rien qu'en descendant les Champs-
Élysées, on en ramasse de quoi couvrir tous les écrans
du monde...

— Nora était au courant de leur liaison.

— Alors, je n'y comprends plus rien... Il est
vrai que, si je devais comprendre les histoires de
cœur de mes clients, j'aurais déjà des ulcères...
Allez donc raconter ça à ma femme... Elle vous en
voudrait de ne pas lui dire un petit bonjour dans sa
cuisine... Elle a le béguin pour vous... Vous ne
voulez pas prendre un verre?...

— Tout à l'heure...

La cuisine était plus grande, plus moderne qu'il
ne l'avait pensé. Comme il s'y attendait, Rose
s'essuya la main avant de la lui tendre.

— Alors vous vous êtes décidé à le relâcher?

— Cela vous étonne?

— Je ne sais plus... Chacun qui vient ici a sa

petite opinion... Pour les uns, Francis a fait le
coup par jalousie... Pour d'autres, ce serait un
amant dont elle cherchait à se débarrasser... Pour
d'autres enfin, une femme se serait vengée...

— Nora?

— Qui vous a dit cela?

— Carus avait une liaison sérieuse avec Sophie...
Nora le savait... Il avait l'intention de la lancer...

— C'est vrai, ou bien vous inventez pour me
faire parler?

— C'est vrai. Cela vous surprend?

— Moi?... Il y a belle lurette que rien ne me
surprend plus... Si vous étiez comme moi dans
ce commerce...

L'idée ne lui venait pas qu'à la P. J. on a une
certaine expérience des hommes.

— Seulement, mon bon commissaire, si c'est Nora
qui a fait le coup, vous aurez du mal à le prouver,
car elle est assez maligne pour vous rouler tous...
Vous mangez ici?... J'ai du caneton à l'orange...
Avant, je peux vous servir deux ou trois douzaines
de pétoncles qui viennent d'arriver de La Rochelle...
C'est ma mère qui me les envoie... Eh! oui... Elle a
passé ses soixante-quinze ans et elle est aux halles
chaque matin...

Huguet, le photographe, arriva avec sa compagne. C'était un garçon rose, au visage naïf, à
l'air hilare, et on aurait juré qu'il était fier de
s'exhiber avec une femme enceinte de sept mois.

— Vous vous connaissez?... Le commissaire Maigret... Jacques Huguet... Son amie...

— Jocelyne... précisait le photographe, comme
si c'était important ou comme s'il avait plaisir à
prononcer ce nom poétique.

Et, avec un empressement exagéré, à croire qu'il
se moquait d'elle :

— Qu'est-ce que vous buvez, ma chérie?

Il l'entourait de petits soins, l'enveloppait de regards chauds et tendres, semblant dire aux autres :

— Vous voyez, je suis amoureux et je n'en ai pas honte... Nous avons fait l'amour... Nous attendons un enfant... Nous sommes heureux... Et cela nous est égal si vous nous trouvez ridicules.

— Qu'est-ce que vous prenez, mes enfants ?

— Un jus de fruits pour Jocelyne... Un porto pour moi...

— Et vous, monsieur Maigret ?

— Un verre de bière.

— Francis n'est pas arrivé ?

— Vous avez rendez-vous ici ?

— Non, mais il me semble qu'il aura envie de revoir des copains... Ne fût-ce que pour leur montrer qu'il est libre, qu'on n'a pas été capable de le retenir... Il est comme ça...

— Vous aviez l'impression que nous allions le garder ?

— Je ne sais pas... Il est difficile de prévoir ce que fera la police...

— Vous croyez qu'il a tué sa femme ?

— Cela importe si peu que ce soit lui ou quelqu'un d'autre !... Elle est morte, non ?... Si Francis l'a tuée, c'est qu'il avait de bonnes raisons pour ça...

— Lesquelles, selon vous ?

— Je l'ignore... Il en avait assez d'elle, peut-être ?... Ou bien elle lui faisait des scènes ?... Ou encore elle le trompait ?... On devrait laisser les gens vivre à leur guise, n'est-ce pas, chérie ?...

Des clients entraient, qui n'étaient pas des habitués et qui hésitaient à se diriger vers une table.

— Trois personnes ?

Car il s'agissait d'un couple d'un certain âge et d'une jeune fille.

— Par ici...

On assistait au grand jeu de Bob : la carte, les conseils chuchotés, l'éloge du vin blanc des Charentes, de la chaudrée...

Parfois, il adressait un clin d'œil à ses compagnons restés au bar.

C'est alors que Ricain entra, s'arrêta net en apercevant le commissaire en compagnie de Huguet et de la fille enceinte.

— Te voilà, toi !... s'écria le photographe. Alors, que t'est-il arrivé ?... On te croyait au plus profond d'une sombre prison...

Francis s'efforçait de sourire.

— Tu vois, je suis ici... Bonsoir, Jocelyne... C'est pour moi que vous êtes venu, commissaire ?

— Présentement, c'est pour le canard à l'orange...

— Qu'est-ce que tu prends ? vint demander Bob qui avait passé la commande au garçon.

— C'est du porto, ça ?...

Il hésita.

— Non... Un scotch... A moins que tu ne trouves mon ardoise trop longue...

— Aujourd'hui, je te fais encore crédit...

— Et demain ?

— Cela dépendra du commissaire...

Maigret était un peu dérouté par le ton de la conversation, mais il se doutait que c'était le genre d'esprit qui avait cours dans la bande.

— Vous êtes passé au journal ? demanda-t-il à Ricain.

— Oui... Comment le savez-vous ?...

— Comme vous aviez besoin d'argent...

— J'ai tout juste obtenu une avance de cent francs sur ce qu'ils me doivent...

— Et Carus ?

— Je ne suis pas allé chez lui...

— Vous le cherchiez pourtant mercredi soir, puis presque toute la nuit.

— Nous ne sommes plus mercredi...

— Au fait, intervint le photographe, je l'ai vu Carus... Je suis allé au studio et il faisait faire un bout d'essai à une gamine que je ne connais pas... Il m'a même demandé des photos...

— De la gamine?

Maigret se demanda s'il en avait fait prendre de Sophie aussi.

— Il dîne ici... En tout cas, c'était son intention à trois heures de l'après-midi, mais avec lui on ne sait jamais... Surtout avec Nora... Au fait, j'ai rencontré Nora aussi...

— Aujourd'hui?

— Il y a deux ou trois jours... Dans un endroit où je ne m'attendais pas à la trouver... Une petite boîte de Saint-Germain-des-Prés, où on ne voit que des jeunets...

— Quand était-ce? questionna Maigret, soudain attentif.

— Attendez... Nous sommes samedi... Vendredi... Jeudi... Non... Jeudi, j'étais à la première des ballets... C'était mercredi... Je cherchais des photos pour illustrer un article sur les moins de vingt ans... On m'avait signalé cette boîte...

— Quelle heure était-il?

— Vers les dix heures... Oui, j'ai dû arriver à dix heures... Jocelyne était avec moi... Qu'en pensez-vous, chérie?... Il était dix heures n'est-ce pas?... Un endroit miteux, mais pittoresque, où tous les gars avaient les cheveux dans le cou...

— Elle vous a vu?

— Je ne crois pas... Elle était dans un coin, avec un malabar qui, lui, n'était pas un moins de vingt ans... Je soupçonne que c'était le propriétaire et ils avaient l'air de discuter sérieusement...

— Elle est restée longtemps?

— Je me suis faufilé dans les deux ou trois

pièces où presque tout le monde dansait... Enfin,
si cela s'appelle de la danse... Ils faisaient ce qu'ils
pouvaient, agglutinés les uns aux autres...

« Je l'ai revue une fois ou deux, entre les têtes
et les épaules... Elle discutait toujours... Le type
avait tiré un crayon de sa poche et inscrivait des
chiffres sur un bout de papier.

« C'est rigolo quand j'y pense... Elle n'est déjà
pas très réelle dans la vie de tous les jours... Mais
là-bas, dans cet univers abracadabrant, ça aurait
valu le coup d'une photo...

— Tu ne l'as pas prise?

— Pas si bête!... Je ne tiens pas à m'attirer des
ennuis avec papa Carus... Je dépends de lui pour
une bonne moitié de mon beefsteak...

On entendit Maigret commander :

— Une autre bière, Bob...

Sa voix, son attitude n'étaient plus tout à fait
les mêmes.

— Vous pouvez me réserver le coin que j'occupais hier?

— Vous ne mangez pas avec nous? s'étonna le
photographe.

— Une autre fois.

— Il avait besoin d'être seul, de réfléchir. On venait, par hasard, d'embrouiller une fois de plus
les idées qu'il avait mises bout à bout et plus rien
ne se tenait.

Francis le regardait à la dérobée, inquiet. Bob
aussi était conscient du changement survenu.

— On dirait que cela vous surprend, que Nora
se soit rendue dans un endroit comme celui-là...

Mais le commissaire tourné vers Huguet :

— Comment s'appelle cette boîte?

— Vous voulez, vous aussi, faire une étude sur
les beatniks?... Attendez... l'enseigne n'est pas

bien originale... Elle doit dater du temps où ce n'était qu'un bistrot à clochards... A l'*As de Pique*... Oui... A gauche en montant...

Maigret vida son verre.

— Vous me gardez mon coin, répéta-t-il.

Quelques instants plus tard, un taxi le conduisait à la Contrescarpe.

L'endroit, au jour, était livide. On n'y voyait que trois consommateurs chevelus et une fille en veston et pantalon d'homme qui fumait un petit cigare. Un type en chandail jaillit de la seconde pièce et se campa derrière le comptoir, l'œil méfiant.

— Qu'est-ce que ce sera?

— Une bière, fit machinalement Maigret.

— Et après?

— Rien.

— Pas de questions?

— Que voulez-vous dire?

— Que je ne suis pas né d'hier et que, si le commissaire Maigret entre ici, ce n'est pas parce qu'il a soif. Alors j'attends de voir la couleur.

Gouailleur, l'homme se versait un petit verre.

— Quelqu'un est venu vous voir mercredi soir...

— Une centaine de quelqu'un, si vous me permettez de vous corriger.

— Je parle d'une femme, avec qui vous vous êtes entretenu longuement.

— Il y avait la moitié de femmes et je me suis entretenu, comme vous le dites, avec un certain nombre d'entre elles.

— Nora.

— Nous y voilà. Alors?...

— Que faisait-elle ici?

— Ce qu'elle vient y faire une fois par mois en moyenne.

— C'est-à-dire?

— Réclamer ses comptes.

— Parce que?...

Maigret, ahuri, découvrait la vérité, avant que l'homme la lui dise.

— Parce que c'est la patronne, mais oui, monsieur le Commissaire!... Elle ne le crie pas sur les toits... Je ne suis pas sûr que le père Carus soit au courant... Chacun a le droit de placer son argent comme il lui plaît, n'est-ce pas?...

« Moi, je ne vous ai rien dit... Vous me racontez une histoire et je ne vous réponds ni oui ni non... Même si vous me demandez si elle possède d'autres boîtes du même genre... »

Maigret le regardait, interrogateur, et l'homme battait des paupières d'une façon affirmative.

— Il y a des gens qui sont dans le vent, conclut-il d'un ton léger... Ce ne sont pas toujours ceux qui se croient malins qui font les meilleurs placements... Avec trois boîtes comme celle-ci pendant seulement un an, moi, je me retirerais sur la Côte d'Azur...

« Alors, avec une dizaine, dont certaines à Pigalle et une aux Champs-Élysées... »

7

QUAND MAIGRET PÉNÉ-
tra à nouveau au *Vieux-Pressoir*, on avait mis trois
tables bout à bout et ils avaient commencé à dîner
tous ensemble. Carus, en l'apercevant, s'était levé
et s'était dirigé vers lui, sa serviette à carreaux à
la main.

— J'espère que vous nous ferez le plaisir d'être
des nôtres?...

— Ne le prenez pas de mauvaise part si je préfère manger dans mon coin.

— Vous craignez de vous attabler avec quelqu'un que vous serez forcé d'arrêter tôt ou tard?

Il le regardait dans les yeux.

— Car il y a toutes les chances, n'est-ce pas,
pour que le meurtrier de la pauvre Sophie soit
parmi nous ce soir?... Enfin!... Comme vous voudrez... Tout au moins vous demanderons-nous de
venir prendre l'armagnac en notre compagnie...

Bob l'avait conduit à sa table, dans l'encoignure
de la porte tambour, et il avait commandé les

pétoncles et le caneton à l'orange que Rose lui
avait recommandés.

Il les voyait en enfilade, sur deux rangs. Il était
évident, au premier coup d'œil, que Carus était le
personnage important. Son comportement, sa façon
d'être, ses gestes, sa voix, son regard étaient ceux
de quelqu'un qui a conscience de sa valeur et de
sa proéminence.

Ricain avait pris place en face de lui comme à
regret, et n'intervenait qu'à contrecœur dans la
conversation. Dramin, lui, était accompagné d'une
jeune femme que Maigret ne connaissait pas encore,
une personne assez terne, à peine maquillée, vêtue
sobrement, que Bob lui dit plus tard être une mon-
teuse.

Maki mangeait beaucoup, buvait sec, regardait
ses compagnons tour à tour et répondait par des
grognements aux questions qu'on lui posait.

C'était Huguet, le photographe, qui donnait le
plus souvent la réplique au producteur. Il paraissait en pleine forme et continuait à jeter au ventre
de la placide Jocelyne des regards de propriétaire
satisfait.

Il n'était pas possible, à distance, de suivre la
conversation. Par des bouts de phrase, pourtant,
par des exclamations, des expressions de physionomie, Maigret arrivait plus ou moins à en reconstituer le sens.

— On va voir de qui cela va être le tour... avait
dit, ou à peu près, le photographe facétieux.

Et son regard, à ce moment, était tourné vers le
commissaire.

— Il nous observe... Il nous épluche... Maintenant qu'il a tiré tout ce qu'il y avait à tirer de
Francis, il s'en prendra à un autre... Si tu con-
tinues à tirer une sale tête Dramin, ce sera à toi...

Des dîneurs isolés, qui les observaient de loin,

les enviaient de s'amuser. Carus avait commandé
du champagne et deux bouteilles rafraîchissaient
dans des seaux en argent. Bob en personne s'ap-
prochait parfois de la table pour le verser dans
les coupes.

Ricain buvait beaucoup. C'était lui qui buvait le
plus et, pas une fois, il ne sourit aux plaisanteries
du photographe, qui n'étaient pas toutes du meilleur goût.

— Prends un air naturel, Francis... N'oublie pas
que l'œil de Dieu est fixé sur toi...

C'était Maigret qui était visé. Étaient-ils plus
drôles quand, d'autres soirs, il leur arrivait de se
réunir ?

Carus aidait de son mieux Huguet à détendre
l'atmosphère. Nora, elle, les regardait tour à tour
de son œil glacé.

Au fond, ce dîner était lugubre et tout le monde
manquait de naturel, peut-être, en partie, parce
que tout le monde sentait la présence du commissaire.

— Je parie qu'un jour tu en tireras un film que
notre bon ami Carus produira... Tous les dra-
mes finissent ainsi...

— Tais-toi, veux-tu ?

— Pardon... Je ne savais pas que tu...

C'était pis quand le silence s'établissait autour
de la table. En réalité, il n'existait aucune amitié
entre eux. Ils ne s'étaient pas choisis ? Chacun avait
des raisons égoïstes d'être là.

Ne dépendaient-ils pas tous de Carus ? Nora la
première, qui lui soutirait de quoi s'acheter des
établissements de nuit. Elle n'avait aucune certi-
tude qu'il l'épouserait un jour et elle préférait prendre ses précautions.

S'en doutait-il ? Se croyait-il aimé pour lui-même ?
C'était improbable. Il était réaliste. Il avait be-

soin d'une compagne et, pour le moment, elle faisait encore assez bien l'affaire. Il ne devait pas
détester qu'elle soit assez voyante pour attirer l'attention partout où ils allaient ensemble.

— C'est Carus et son amie... Nora... Un drôle
de numéro...

Pourquoi pas? Il n'en n'était pas moins devenu
l'amant de Sophie dont il projetait de faire une
vedette.

Cela supposait qu'il se débarrasserait de Nora...
Il en avait eu d'autres avant elle... Il en aurait
d'autres.

Dramin promenait dans la vie des scénarios ina-
chevés auxquels Carus pouvait donner la vie...
A la condition de croire à son talent...

Francis se trouvait dans le même cas, à la différence qu'il se montrait moins humble, moins patient, qu'il adoptait volontiers une attitude agres-
sive, surtout quand il avait bu quelques verres...

Quant à Maki, il ruminait ses pensées en solitaire... Sa sculpture ne se vendait pas encore...
En attendant que les marchands s'y intéressent, il
brossait des décors bons ou mauvais, pour Carus
ou pour n'importe qui, satisfait quand il n'avait
pas à payer son dîner, mangeant alors double et
commandant les plats les plus chers...

Le photographe, lui... Maigret cernait moins
aisément sa physionomie. A première vue, il ne
comptait pas... Dans presque tous les groupes qui
se rencontrent fréquemment, on trouve une sorte
de naïf aux gros yeux clairs qui joue les amu-
seurs... Sa candeur apparente lui permettait de
mettre les pieds dans le plat, de lâcher parfois une
vérité déplaisante qu'on n'aurait pas admise d'un
autre...

Son métier même en faisait quelqu'un de peu

important... On riait de lui et de ses femmes toujours enceintes...

Rose, s'essuyant les mains, venait s'assurer que tout le monde était content et acceptait, debout une coupe de champagne.

Bob de temps à autre se campait devant Maigret.

— Ils font ce qu'ils peuvent... lui chuchotait-il d'un air entendu.

Il manquait Sophie. Chacun le sentait. Comment Sophie se comportait-elle dans ces occasions-là ?

L'air boudeur, sans doute, ou timide, sachant toutefois que c'était à elle que le riche homme de la bande, Carus-le-producteur, s'intéressait. Ne l'avait-elle pas encore rencontré l'après-midi même dans la garçonnière de la rue François-Ier ?

— Prends patience, mon lapin... Je m'occupe de toi...

— Mais Nora ?

— Cela ne sera plus très long... Je la prépare... Cela me coûtera ce que cela me coûtera...

— Francis ?

— Au début, il sera vexé que tu réussisses avant lui et que tu gagnes beaucoup d'argent... Il s'y fera... Je lui confierai un film à diriger... Puis, un jour, quand la situation sera mûre, tu pourras demander le divorce...

Était-ce ainsi que cela se passait ? Carus, lui aussi, avait besoin d'eux. C'est en lançant des jeunes qu'il gagnait le plus d'argent. D'être ainsi entouré d'une sorte de cour au *Vieux-Pressoir* lui donnait davantage le sens de son importance que de dîner avec des financiers plus riches et plus influents que lui.

Un clin d'œil de Bob, qui portait deux nouvelles bouteilles à la grande table. Ricain, exaspéré par les plaisanteries du photographe, répliquait sèche-

ment. On pouvait prévoir le moment où il se lève-
rait, excédé, et s'en irait tout seul. Il n'osait pas
encore, rongeait son frein.

C'était vrai que l'un d'eux avait probablement
tué Sophie, et Maigret, à qui la chaleur faisait
monter le sang à la tête, scrutait les visages.

Carus se trouvait à Francfort le mercredi soir,
on en avait eu confirmation à Orly. Nora, elle,
entre dix et onze heures, discutait chiffres dans
l'atmosphère survoltée de l'*As de Pique*.

Maki?... Mais pourquoi Maki aurait-il tué?... Il
avait couché avec Sophie, par hasard, parce qu'elle
attendait ça de lui comme elle l'attendait, semblait-il, de tous leurs amis. C'était une façon de se
rassurer, de se prouver qu'elle avait du charme,
qu'elle n'était pas une gamine quelconque enti-
chée de cinéma.

Huguet?... Il avait déjà trois femmes... C'était
une manie, comme, semblait-il, de leur faire des
enfants... A se demander comment il s'y prenait
pour nourrir ces différentes nichées...

Francis, lui...

Maigret reprenait l'emploi du temps de Ricain...
Le retour rue Saint-Charles, vers dix heures... Le
besoin d'argent immédiatement... Il avait espéré
rencontrer Carus au *Vieux-Pressoir* mais Carus n'y
était pas... Bob s'était récusé devant l'importance
de la somme...

Il laissait Sophie à la maison...

Pourquoi, alors que d'habitude il traînait partout
sa femme derrière lui?

— Non! s'exclamait le photographe à voix haute.
Pas ici, Jocelyne... Ce n'est pas l'heure de dormir...

Et il leur expliquait que, depuis sa grossesse,
elle s'endormait à tout moment, n'importe où.

— Il y en a qui réclament des cornichons, qui dévorent des pieds de porc, de la tête de veau... Elle, elle dort... Non seulement elle dort, mais elle ronfle...

Maigret n'y attachait pas d'importance, s'efforçait de reconstituer les allées et venues de Ricain jusqu'au moment où celui-ci avait volé son portefeuille, rue du Temple, sur la plate-forme de l'autobus.

Ricain qui n'avait pas conservé un centime... Ricain qui lui avait téléphoné pour lui dire que...

Il bourrait sa pipe, l'allumait. On aurait pu croire que, dans son coin, il s'assoupissait, lui aussi, devant sa tasse de café.

— Vous ne venez pas prendre le dernier verre avec nous, commissaire ?

Carus encore... Maigret se décidait à le suivre, à s'asseoir un moment avec eux...

— Alors, plaisanta Huguet, qui arrêtez-vous ?... C'est assez impressionnant de vous sentir là, à ne rien perdre de nos expressions de physionomie... Par moments, j'en arrive à me sentir une âme de coupable...

Ricain avait si mauvaise mine que personne ne s'étonna quand il se leva précipitamment de table pour foncer vers les toilettes.

— Il devrait exister un permis de boire, comme il existe un permis de conduire... prononça rêveusement Maki.

Le sculpteur aurait sûrement obtenu haut la main ce permis-là, car il avait vidé verre sur verre et leur seul effet était de rendre ses yeux brillants, son teint brique.

— C'est chaque fois la même chose avec lui...

— A votre santé, monsieur Maigret... disait Carus en tendant son verre à dégustation. J'allais dire : au

succès de votre enquête, car nous avons tous hâte
que vous découvriez la vérité...

— Sauf un! rectifia le photographe.

— Sauf un, peut-être... A moins qu'il ne s'agisse
pas de quelqu'un d'entre nous...

Quand Francis revint, il avait les paupières rouges, le visage défait. Bob, sans qu'on lui ait rien
demandé, apportait un verre d'eau.

— Cela va mieux?

— Je ne supporte plus l'alcool...

Il évitait le regard de Maigret.

— Je crois que je vais aller me coucher...

— Tu ne nous attends pas?

— Vous oubliez que je n'ai pas beaucoup dormi
depuis trois jours...

Il paraissait plus jeune, dans son désarroi physique. Il faisait penser à un gamin trop poussé
que son premier cigare rend malade et qui en a
honte.

— Salut...

On vit Carus se lever, le suivre vers la porte,
lui parler à mi-voix. Puis le producteur s'assit à
la table que Maigret avait occupée, repoussa la
tasse de café et remplit les blancs d'un chèque
que Francis attendait en regardant ailleurs.

— Je ne pouvais pas le laisser en panne... Si
j'avais été à Paris mercredi, rien ne serait peut-
être arrivé... J'aurais dîné ici... Il m'aurait demandé l'argent de son loyer et il n'aurait pas eu
besoin de quitter Sophie...

Maigret tressaillit, se répéta mentalement la
phrase, les regarda une fois de plus tour à tour.

— Vous permettez que je vous quitte?

Il avait besoin d'être dehors, car il commençait
à étouffer. Peut-être avait-il trop bu, lui aussi? En
tout cas, il ne finissait pas l'énorme verre d'armagnac.

Sans but précis, les mains dans les poches, il longeait les trottoirs où quelques vitrines restaient éclairées. C'étaient surtout des couples qui s'arrêtaient pour contempler les machines à laver et les postes de télévision. De jeunes couples qui rêvaient, calculaient.

— Cent francs par mois, Louis...

— Plus deux cent cinquante francs sur la voiture.

Francis et Sophie avaient dû se promener ainsi bras dessus bras dessous dans le quartier.

Rêvaient-ils de machine à laver et de télévision ?

Une voiture, ils en avaient une, la vieille Triumph démantelée que Ricain avait abandonnée quelque part au cours de la fameuse nuit de mercredi. Était-il allé la reprendre ?

Avec le chèque qu'il venait de recevoir, il pourrait payer son loyer... Projetait-il d'habiter seul le studio où sa femme avait été assassinée ?

Maigret traversait le boulevard. Un vieux dormait sur un banc. Le grand immeuble neuf se dressait devant lui, avec environ la moitié de ses fenêtres éclairées.

Les autres locataires étaient au cinéma, ou chez des amis, ou encore ils s'attardaient, comme au *Vieux-Pressoir*, devant une table de restaurant.

L'air restait doux, mais de gros nuages ne tarderaient pas à passer devant la lune pleine.

Maigret tourna l'angle de la rue Saint-Charles, pénétra dans la cour. Une petite fenêtre à vitre dépolie était éclairée près de la porte de Ricain, la fenêtre de la salle de bains à la demi-baignoire.

D'autres portes, d'autres fenêtres éclairées, aussi bien du côté des studios que dans le bâtiment central...

La cour déserte, silencieuse, les poubelles à leur

place, un chat qui se glissait furtivement le long
des murs...

Parfois une fenêtre se refermait, une lampe
s'éteignait. Des couche-tôt. Puis, au quatrième
étage, ce fut le tour d'une fenêtre de s'éclairer.
C'était un peu comme les étoiles qui se mettent
soudain à briller ou à disparaître dans le ciel.

Il crut reconnaître, derrière le store, la silhouette
volumineuse de Jocelyne, les cheveux fous, en auréole, du photographe.

Alors, son regard alla du quatrième au rez-de-
chaussée.

— A dix heures environ...

Il connaissait par cœur l'horaire de cette nuit-là.
Les Huguet avaient dîné au *Vieux-Pressoir* et
comme ils étaient seuls à table, le repas avait dû
être bref. A quelle heure étaient-ils rentrés ?

Ricain et Sophie, eux, avaient poussé la porte
du studio et allumé les lumières vers dix heures.
Puis, presque tout de suite, Francis était sorti...

Maigret voyait toujours, là-haut, des silhouettes
aller et venir... Puis il n'y en eut plus qu'une,
celle du photographe... Celui-ci ouvrit la fenêtre,
regarda un instant le ciel... Au moment où il
allait s'éloigner, son regard descendit vers la
cour... Il dut voir la fenêtre éclairée du studio et,
au milieu de l'espace vide, la silhouette de Maigret
se découpant dans la lumière lunaire.

Le commissaire vidait sa pipe en la frappant
contre son talon, pénétrait dans l'immeuble.
Venant de la cour, il n'avait pas à passer devant
la loge de la concierge. Il entra dans l'ascenseur,
poussa le bouton du quatrième étage, mit un moment à se retrouver dans les couloirs.

Quand il frappa à la porte, on aurait dit que
Huguet s'attendait à sa visite car il ouvrit aussitôt.

— C'est vous!... dit-il avec un drôle de sourire. Ma femme est en train de se mettre au lit... Vous entrez, ou préférez-vous que je vous accompagne dehors?...

— Il vaudrait peut-être mieux que nous descendions?

— Un instant... Je la préviens et je prends mes cigarettes...

On entrevoyait un living-room en désordre, où la robe que Jocelyne portait ce soir était jetée sur un fauteuil.

— Mais non... Mais non... Je t'assure que je remonte tout de suite...

Puis il parlait plus bas. Elle chuchotait. La porte de la chambre était restée ouverte.

— Tu es sûr?

— Ne t'inquiète pas... A dans quelques minutes...

Il ne portait jamais de chapeau. Il ne prit pas son pardessus.

— Venez...

L'ascenseur n'avait pas bougé. Ils s'en servirent.

— De quel côté?... Le boulevard ou la cour?...

— La cour.

Ils l'atteignirent, marchèrent côte à côte dans l'obscurité. Quand Huguet leva la tête, il aperçut sa femme qui regardait par la fenêtre et lui fit signe de rentrer.

Il y avait toujours de la lumière dans la salle de bains de Ricain. Son estomac chavirait-il une fois de plus?

— Vous avez deviné? questionnait enfin le photographe après avoir toussoté.

— Je me le demande.

— Ce n'est pas une situation agréable, vous savez... Depuis, j'essaie de faire le malin... Tout à

l'heure, à table, j'ai passé la plus sale soirée de
ma vie...

— C'était visible.

— Vous avez une allumette?...

Maigret lui tendit sa boîte et commença à bour-
rer lentement une des deux pipes qu'il avait en
poche.

— Ricain et sa femme, mercredi soir, ont dîné au *Vieux-Pressoir*?

— Non... A la vérité, ils n'y mangeaient que quand, par hasard, ils étaient en fonds, ou quand ils trouvaient quelqu'un pour les inviter... Ils sont passés, vers huit heures et demie... Seul Francis est entré... Souvent, le soir, il ne faisait qu'entrouvrir la porte... Si Carus était là, il entrait, suivi de Sophie, et allait s'asseoir à sa table...

— Mercredi, à qui a-t-il parlé?

— Quand je l'ai vu, il n'a fait qu'échanger deux ou trois mots avec Bob... Il a demandé :

« — Carus est là? »

« Et, quand on lui a répondu que non, il est parti...

— Il n'a pas essayé d'emprunter de l'argent?

— Pas à ce moment-là...

— S'il comptait sur Carus pour l'inviter à dîner, c'est qu'ils n'avaient pas encore mangé?

— Ils ont dû aller casser la croûte dans un self-service, avenue de La-Motte-Picquet. Ils y allaient souvent.

— Vous êtes restés longtemps à table, votre femme et vous ?

— Nous sommes sortis du *Vieux-Pressoir* vers neuf heures... Nous avons pris l'air pendant un quart d'heure environ... Nous sommes rentrés chez nous et Jocelyne s'est déshabillée tout de suite... Depuis qu'elle est enceinte, elle a toujours sommeil...

— J'ai entendu...

Le photographe le regarda d'un air interrogateur.

— Vous en avez parlé pendant le dîner. Il paraît même qu'elle ronfle.

— Mes deux autres femmes aussi... Je crois que toutes les femmes ronflent quand elles sont enceintes de quelques mois... Je disais cela pour la taquiner...

Ils parlaient à mi-voix, dans le silence que ne troublait que le bruit des voitures boulevard de Grenelle, de l'autre côté du bâtiment. La rue Saint-Charles, au-delà de la grille ouverte, était déserte et, de loin en loin seulement, on y apercevait la silhouette d'un passant ou d'une femme juchée sur ses hauts talons.

— Qu'est-ce que vous avez fait ?

— Je l'ai mise au lit et je suis allé embrasser mes enfants...

C'est vrai que ses deux premières femmes habitaient le même immeuble, l'une avec deux enfants, l'autre avec un seul.

— Vous le faites chaque soir ?

— Presque tous les soirs. A moins que je ne rentre trop tard...

— Vous êtes bien accueilli ?

— Pourquoi pas ?... Elles ne m'en veulent pas...

Elles me connaissent... Elles savent que je ne peux pas faire autrement...

— Autrement dit, un jour ou l'autre, vous quitterez Jocelyne pour une autre?

— Si cela se présente... Vous savez, moi, je n'y attache pas d'importance... J'adore les gosses... le plus grand homme de l'Histoire, c'est Abraham...

Il était difficile de ne pas sourire, surtout que, cette fois, il parlait sincèrement. Il y avait réellement chez lui, en dehors de ses plaisanteries trop voulues, un fond de candeur.

— Je suis resté un moment avec Nicole... Nicole, c'est la seconde... Il nous arrive d'avoir comme un revenez-y...

— Jocelyne le sait?

— Cela ne la tracasse pas... Si je n'étais pas ainsi, elle ne serait pas avec moi...

— Vous avez fait l'amour?

— Non... J'y ai pensé... Le gosse s'est mis à rêver à haute voix et je suis parti sur la pointe des pieds...

— Il était quelle heure?

— Je n'ai pas regardé ma montre... Je suis rentré chez moi... Machinalement, j'ai changé la pellicule d'un de mes appareils, car je devais prendre des photos de bonne heure le lendemain... Puis je suis allé à la fenêtre et je l'ai ouverte...

« Je l'ouvre toutes les nuits, d'abord en grand, pour dissiper la fumée de cigarettes, ensuite à moitié car, hiver comme été, je ne peux dormir enfermé...

— Ensuite?

— Je fumais une dernière cigarette... Il y avait de la lune, comme aujourd'hui... J'ai vu un couple traverser la cour et j'ai reconnu Francis et sa femme... Ils ne se tenaient pas par le bras, selon leur habitude, et ils avaient une conversation animée...

— Vous n'avez rien entendu?

— Une seule phrase, que Sophie a prononcée d'une voix aiguë, ce qui m'a fait penser qu'elle était en colère.

— Cela lui arrivait souvent?

— Non... Elle a dit :

« *Ne fais pas l'innocent... Tu le savais très bien...* »

— Il a répondu?

— Non. Il lui a saisi le coude et l'a entraînée vers la porte...

— Vous ne savez toujours pas l'heure qu'il était?

— Si... J'ai entendu sonner dix heures à l'église... La fenêtre de la salle de bains s'est éclairée... J'ai allumé une autre cigarette.

— Vous étiez intrigué?

— Tout simplement, je n'avais pas sommeil... Je me suis versé un verre de calvados...

— Vous étiez dans le living-room?

— Oui... La porte de la chambre était ouverte et j'avais éteint les lumières pour que Jocelyne puisse dormir...

— Combien de temps s'est écoulé?

— Le temps de finir la cigarette que j'avais allumée chez ma première femme puis celle que j'ai allumée devant la fenêtre... Un peu plus de cinq minutes?... Moins de dix, en tout cas...

— Vous n'avez rien entendu?

— Non. J'ai vu sortir Francis, qui s'est dirigé rapidement vers le portail... Il laissait toujours sa voiture dans la rue Saint-Charles... Après quelques instants, le moteur s'est mis à tousser puis, un peu plus tard, l'auto a démarré...

— Quand êtes-vous descendu?

— Un quart d'heure plus tard...

— Pourquoi?

— Je vous l'ai dit... Je n'avais pas sommeil... J'avais envie de bavarder...

— Seulement de bavarder?

— Peut-être un peu plus...

— Vous aviez eu, auparavant, des rapports avec Sophie?

— Vous voulez savoir si j'avais couché avec elle?... Une fois... Francis était saoul et, comme il ne restait rien à boire, il était sorti pour aller acheter une bouteille dans un bistrot encore ouvert...

— Elle était consentante?

— Cela lui a paru tout naturel...

— Et après?

— Après, rien... Ricain est entré sans la bouteille, car on avait refusé de lui en vendre... Nous l'avons mis au lit... Les jours suivants, il n'a plus été question de rien...

— Revenons à mercredi soir... Vous êtes descendu...

— Je me suis approché de la porte... J'ai frappé... Et, pour que Sophie ne s'effraie pas, j'ai murmuré :

« C'est Jacques... »

— Personne n'a répondu?

— Non... Il n'y a eu aucun bruit à l'intérieur...

— Cela ne vous a pas paru bizarre?

— Je me suis dit qu'elle s'était disputée avec Francis et qu'elle n'avait envie de voir personne... Je l'imaginais sur son lit, furieuse ou en larmes...

— Vous avez insisté?

— J'ai frappé deux ou trois fois, puis je suis remonté chez moi...

— Vous êtes retourné à la fenêtre?

— Quand j'ai été en pyjama, j'ai jeté un coup

d'œil dans la cour... Elle était vide... La lumière restait allumée dans la salle de bains des Ricain... Je me suis couché et je me suis endormi...

— Continuez...

— Levé à huit heures, je me suis préparé du café tandis que Jocelyne dormait encore... J'ai ouvert la fenêtre toute grande et je me suis aperçu qu'il y avait toujours de la lumière dans la salle de bains de Francis...

— Cela ne vous a pas paru curieux ?

— Pas trop... Ce sont des choses qui arrivent... Je suis allé au studio, où j'ai travaillé jusqu'à une heure, puis j'ai mangé un morceau sur le pouce avec un copain. J'avais rendez-vous au *Ritz* avec un acteur américain qui m'a fait poireauter pendant une heure, pour me laisser ensuite à peine le temps de le photographier... Bref, il était quatre heures quand je suis revenu...

— Votre femme n'était pas sortie ?

— Pour faire son marché, oui... Après avoir déjeuné, elle s'était recouchée... Elle dormait...

Il se rendait compte du comique de ce leitmotiv.

— Il y avait toujours...

— De la lumière, oui...

— Vous êtes descendu pour frapper à la porte ?

— Non... J'ai téléphoné... Personne n'a répondu... Ricain avait dû rentrer, dormir, sortir avec sa femme en oubliant d'éteindre...

— Cela leur arrivait ?

— Cela arrive à tout le monde... Voyons... Nous sommes allés, Jocelyne et moi, dans un cinéma des Champs-Élysées...

Maigret faillit grommeler :

— Elle a dormi ?

Le chat venait se frotter à son pantalon et le regardait comme pour quêter une caresse. Mais,

quand Maigret se pencha, il s'éloigna d'un bond
pour miauler deux mètres plus loin.

— A qui appartient-il?

— Je l'ignore... A tout le monde... On lui jette
des bouts de viande par les fenêtres et il passe sa
vie dehors...

— A quelle heure êtes-vous rentré le jeudi soir?

— Vers dix heures et demie... Après le cinéma,
nous avons pris un verre dans une brasserie et j'ai
rencontré un copain...

— La lumière?

— Évidemment... Mais elle n'avait plus rien de
surprenant, car les Ricain pouvaient être rentrés...
J'ai néanmoins téléphoné... J'avoue qu'en n'en-
tendant pas de réponse j'ai été un peu troublé...

— Seulement un peu?

— Je ne pouvais quand même pas me douter de
la vérité... Si on devait penser à un meurtre chaque fois que quelqu'un oublie d'éteindre sa lumière...

— Bref...

— Tenez!... Maintenant encore, il n'éteint
pas... Je ne pense pas qu'il soit occupé à travailler...

— Le lendemain matin?

— Bien sûr, j'ai téléphoné à nouveau, et encore deux fois dans la journée, jusqu'à ce que
j'apprenne par le journal que Sophie était morte...
J'étais à Joinville, dans les studios, à prendre des
photos de tournage d'un film...

— Quelqu'un vous a répondu?

— Oui... Une voix que je ne connais pas... J'ai
préféré me taire et raccrocher après avoir attendu
quelques instants...

— Vous n'avez pas essayé de joindre Ricain?

Huguet se tut. Puis il haussa les épaules et reprit sa physionomie de comique.

— Dites donc, je ne suis pas du quai des Orfè-vres, moi!

Maigret, qui fixait machinalement la lumière tamisée par le verre dépoli, se précipitait soudain vers la porte du studio. Le photographe le suivait, croyant comprendre.

— Pendant que nous sommes occupés à bavar-der...

Si Francis ne travaillait pas, s'il ne dormait pas, si la lumière, ce soir, restait allumée...

Il frappait violemment à la porte.

—Ouvrez!... Ici, Maigret...

Il faisait tant de bruit qu'un voisin parut à sa porte. En pyjama. Il regardait les deux hommes avec étonnement.

— Que se passe-t-il encore? On ne peut pas lais-ser les gens...

— Courez chez la concierge... Demandez-lui si elle possède un passe-partout...

— Elle n'en a pas...

— Comment le savez-vous?

— Parce que je le lui ai déjà demandé, un soir que j'avais oublié ma clef... J'ai dû faire appel à un serrurier...

Huguet, pour un homme qui jouait les naïfs, ne perdait pas son sang-froid. Entourant son poing de son mouchoir, il en portait un coup violent à la vitre dépolie qui volait en éclats.

— Il faut faire vite... haleta-t-il en regardant à l'intérieur.

Maigret regarda à son tour. Ricain, tout habillé, était assis dans la baignoire trop courte pour qu'il s'y étende. L'eau coulait du robinet. La baignoire débordait et l'eau en était rose.

— Vous n'avez pas un fort tournevis, un cric, n'importe quoi de lourd?

— Dans ma voiture... Attendez...

Le voisin allait enfiler une robe de chambre, sortait, suivi par les questions de sa femme. Il franchissait le portail et on entendait le bruit d'un coffre arrière qui s'ouvrait.

Comme la femme apparaissait à son tour, Maigret lui lança :

— Téléphonez à un médecin... Le plus proche...

— Que se passe-t-il?... Ce n'est pas assez que...

Elle s'éloignait en grommelant tandis que son mari revenait avec un démonte-pneu. Il était plus grand, plus large, plus lourd que le commissaire.

— Laissez-moi faire... Du moment que je n'ai pas à m'inquiéter des dégâts...

Le bois résista d'abord, puis craqua. Deux pesées encore, plus bas, puis plus haut, et la porte céda tout à coup tandis que l'homme se retenait de tomber à l'intérieur.

Le reste se passa dans la confusion. D'autres voisins avaient entendu du bruit et il y en eut bientôt plusieurs dans l'étroite entrée. Maigret avait retiré Francis de la baignoire et l'avait traîné vers le divan-lit. Il se souvenait du tiroir de la commode, de son contenu hétéroclite.

Il trouva de la ficelle. Un gros crayon bleu lui servit à improviser un tourniquet. Il l'avait à peine terminé qu'un jeune médecin l'écartait. Il habitait l'immeuble, s'était contenté de passer un pantalon en hâte.

— Depuis combien de temps?...

— On vient de le découvrir...

— Téléphonez pour une ambulance...

— Il a des chances de...?

— Mais, sacrebleu, qu'on ne me pose pas de questions!...

L'ambulance s'arrêtait cinq minutes plus tard dans la cour. Maigret montait devant, à côté du chauffeur. A l'hôpital, il dut rester dans les couloirs pendant que l'interne procédait à une transfusion.

Il fut surpris de voir arriver Huguet.

— Il s'en tirera ?

— On ne sait pas encore.

— Vous croyez qu'il a vraiment voulu se suicider ?

On sentait qu'il en doutait. Maigret aussi. Acculé, Francis avait eu besoin d'un geste théâtral.

— Pourquoi croyez-vous qu'il ait fait ça ?

Le commissaire se méprit sur le sens de la question.

— Parce qu'il se croyait trop intelligent.

Bien entendu, le photographe ne comprit pas et le regarda avec une certaine stupeur.

Ce n'était pas à la mort de Sophie que Maigret pensait à ce moment précis. C'était à un événement beaucoup moins grave, mais peut-être plus significatif, peut-être plus important pour l'avenir de Ricain : le vol de son portefeuille.

CHAPITRE

9

Il avait dormi jus-
qu'à dix heures, mais il n'avait pu prendre son petit
déjeuner devant la fenêtre ouverte comme il se
l'était promis, car une pluie fine et froide s'était
mise à tomber.

Avant de passer dans la salle de bains, dont
aucune vitre, dépolie ou non, ne donnait sur la
cour, il téléphona à l'hôpital et il eut toutes les peines
du monde à être mis en rapport avec l'interne de
service.

— Ricain?... Qu'est-ce que c'est?... Une ur-
gence?... Nous avons eu huit urgences la nuit dernière et si je devais me souvenir des noms... Bon...
Transfusion... Tentative de suicide... Hum!... Si
l'artère avait été sectionnée, il ne serait pas ici,
ou alors nous l'aurions mis au frais au sous-sol...
Il va bien, oui... Il n'a pas desserré les dents...
Non... Pas un mot... Il y a un flic devant sa
porte... Vous devez être au courant...

A onze heures, Maigret était dans son bureau,

ses pieds lui faisaient de nouveau mal, car il avait décidé de remettre ses souliers neufs qu'il était bien obligé d'assouplir.

Assis en face de Lapointe et de Janvier, il rangeait machinalement ses pipes par ordre de taille, en choisissait une, la plus longue, qu'il bourrait avec soin.

— Comme je le disais hier soir au photographe...

Les deux inspecteurs se regardaient, se demandant de quel photographe il s'agissait.

— Comme je le disais donc, il est trop intelligent. C'est parfois aussi dangereux que d'être trop bête. Une intelligence qui ne s'appuie pas sur une certaine force de caractère. Peu importe! Je sens ce que je veux dire, même si je ne trouve pas les mots pour m'exprimer.

« Ce n'est d'ailleurs pas mon affaire. Les médecins et les psychiatres s'en occuperont.

« Je suis presque sûr aussi que c'était un idéaliste, un idéaliste incapable de vivre à la hauteur de son idéal. Vous comprenez? »

Pas trop bien, peut-être. Maigret avait rarement été aussi prolixe et aussi confus tout ensemble.

— Il aurait voulu être un homme extraordinaire en tout. Réussir très vite, car il bouillait d'impatience, mais tout en restant pur...

Il se décourageait, ses phrases restant loin en arrière de sa pensée.

— Du meilleur et du pire. Il devait haïr Carus, parce qu'il avait besoin de lui. Il n'en acceptait pas moins les dîners que le producteur lui offrait et il n'hésitait pas à le taper.

« Il en avait honte. Il s'en voulait.

« Il n'était pas assez naïf pour ne pas se rendre compte que Sophie n'était pas la femme qu'il voulait voir en elle. Mais il avait besoin d'elle aussi. Il profitait même, en fin de compte, de ses relations avec Carus.

« Il refusera de l'admettre. Il ne peut pas l'admettre.

« Et c'est justement pour cela qu'il a tiré sur sa femme. Déjà, en entrant dans la cour, mercredi soir, ils se disputaient. Peu importe à quel sujet. Elle devait être excédée de lui voir jouer un rôle équivoque et sans doute lui a-t-elle craché la vérité à la face.

« Cela ne m'étonnerait pas qu'elle l'ait traité de maquereau. Le tiroir était peut-être entrouvert. De toute façon, il ne pouvait pas accepter d'entendre articuler une vérité comme celle-là.

« Il a tiré. Puis il est resté là, effrayé de ce qu'il venait de faire et des conséquences.

« Dès ce moment j'en suis persuadé, il a décidé qu'il ne se laisserait pas condamner et son cerveau s'est mis à travailler, à échafauder, tandis qu'il rôdait dans les rues, un plan compliqué.

« Si compliqué, en fait, qu'il a failli réussir.

« Il retourne au *Vieux-Pressoir*. Il s'informe de Carus. Il a besoin, tout de suite, de deux mille francs, et il sait que ce n'est pas Bob qui va lui prêter une telle somme.

« Il a jeté l'arme dans la Seine, de façon à supprimer la question des empreintes digitales.

« Il se montre plusieurs fois au *Club Zéro*. — Carus n'est toujours pas arrivé ? — Il boit, marche sans fin, apportant sans cesse de nouvelles touches à son plan.

« C'est vrai qu'il n'a pas assez d'argent pour fuir à l'étranger mais, en aurait-il, cela ne lui servirait à rien, car il serait extradé tôt ou tard.

« Il faudra bien qu'il rentre rue Saint-Charles, qu'il fasse semblant de découvrir le corps, qu'il alerte la police.

« Et le voilà qui se met à penser à moi.

« Il va me jouer une comédie qui ne viendrait pas à l'esprit d'un homme normal. Les détails s'enchaînent. Ses allées et venues le servent.

« Il me guette, dès le petit matin, à la porte de mon domicile. Si je ne prends pas l'autobus, il a sans doute une solution de rechange.

« Il me vole mon portefeuille. Il me téléphone, me joue une comédie telle qu'elle doit écarter de lui les soupçons.

« Et il en fait trop, justement! Il me donne le menu du prétendu dîner de Sophie au *Vieux-Pressoir*. L'équilibre lui manque, le simple bon sens. Il peut inventer une histoire extravagante et la rendre plausible, mais il ne pense pas aux détails les plus simples et les plus quotidiens.

— Vous croyez qu'il passera aux assises, patron? questionna Lapointe.

— Cela dépendra des psychiatres.

— Qu'est-ce que vous décideriez, vous?

— Les assises.

Et, comme ses deux collaborateurs s'étonnaient d'une réponse aussi catégorique, peu conforme à ce qu'ils savaient du commissaire, Maigret laissa tomber :

— Il serait trop malheureux d'être considéré comme fou, ou même comme partiellement responsable. Dans le box des accusés, au contraire, il tiendra à jouer le rôle d'un être exceptionnel, d'une sorte de héros.

Il haussa les épaules, sourit tristement, se dirigea vers la fenêtre où il regarda tomber la pluie.

Épalinges, le 11 novembre 1966.

TABLE DES MATIÈRES

OUVRAGES DE GEORGES SIMENON

AUX PRESSES DE LA CITÉ (suite)

« TRIO »

I. — La neige était sale — Le destin des Malou — Au bout du rouleau
II. — Trois chambres à Manhattan — Lettre à mon juge — Tante Jeanne
III. — Une vie comme neuve — Le temps d'Anaïs — La fuite de Monsieur Monde

IV. — Un nouveau dans la ville — Le passager clandestin — La fenêtre des Rouet
V. — Pedigree
VI. — Marie qui louche — Les fantômes du chapelier — Les quatre jours du pauvre homme

VII. — Les frères Rico — La jument perdue — Le fond de la bouteille
VIII. — L'enterrement de M. Bouvet — Le grand Bob — Antoine et Julie

PRESSES POCKET

Monsieur Gallet, décédé
Le pendu de Saint-Pholien
Le charretier de la Providence
Le chien jaune
Pietr-le-Letton
La nuit du carrefour
Un crime en Hollande
Au rendez-vous des Terre-Neuvas
La tête d'un homme

La danseuse du gai moulin
Le relais d'Alsace
La guinguette à deux sous
L'ombre chinoise
Chez les Flamands
L'affaire Saint-Fiacre
Maigret
Le fou de Bergerac
Le port des brumes
Le passager du « Polarlys »
Liberty Bar

Les 13 coupables
Les 13 énigmes
Les 13 mystères
Les fiançailles de M. Hire
Le coup de lune
La maison du canal
L'écluse n° 1
Les gens d'en face
L'âne rouge
Le haut mal
L'homme de Londres

★

A LA N.R.F.

Les Pitard
L'homme qui regardait passer les trains
Le bourgmestre de Furnes
Le petit docteur
Maigret revient

La vérité sur Bébé Donge
Les dossiers de l'Agence O
Le bateau d'Émile
Signé Picpus

Les nouvelles enquêtes de Maigret
Les sept minutes
Le cercle des Mahé
Le bilan Malétras

ÉDITION COLLECTIVE SOUS COUVERTURE VERTE

I. — La veuve Couderc — Les demoiselles de Concarneau — Le coup de vague — Le fils Cardinaud
II. — L'Outlaw — Cour d'assises — Il pleut, bergère... — Bergelon
III. — Les clients d'Avrenos — Quartier nègre — 45° à l'ombre
IV. — Le voyageur de la Toussaint — L'assassin — Malempin
V. — Long cours — L'évadé

VI. — Chez Krull — Le suspect — Faubourg
VII. — L'aîné des Ferchaux — Les trois crimes de mes amis
VIII. — Le blanc à lunettes — La maison des sept jeunes filles — Oncle Charles s'est enfermé
IX. — Ceux de la soif — Le cheval blanc — Les inconnus dans la maison
X. — Les noces de Poitiers — Le rapport du gendarme G. 7

XI. — Chemin sans issue — Les rescapés du « Télémaque » — Touristes de bananes
XII. — Les sœurs Lacroix — La mauvaise étoile — Les suicidés
XIII. — Le locataire — Monsieur La Souris — La Marie du Port
XIV. — Le testament Donadieu — Le châle de Marie Dudon — Le clan des Ostendais

SÉRIE POURPRE

Le voyageur de la Toussaint   La maison du canal   La Marie du port

Achevé d'imprimer le 19 juin 1979
sur les presses de l'Imprimerie Bussière
à Saint-Amand (Cher)

— N° d'édit. 1495. — N° d'imp. 1180. —
Dépôt légal : 2ᵉ trimestre 1967.
Imprimé en France